DEDICATORIA

A Engracia Medina Pedraza, (1911-2003). Cada una de estas historias, al ser mías, le pertenecen.

L. A. R. O.

CONTENIDO

ADVERTENCIA

Durante las próximas 148 páginas se adentrará en un invento interesante. Pero antes, sepa que quien suscribe, carece de elementos básicos de ortografía y gramática. Para rebatir tal carencia, tenía dos opciones simples, pagar la edición y corrección del texto o dejarle saber a ustedes que una vez comiencen su lectura no me hago responsable del daño que los errores puedan causarle. Por cuestiones de presupuesto, ya sabrán cuál de las opciones utilicé.

Este no es un cuento de Miguel de Cervantes, en el que tiene que consumir su tiempo interpretando el significado de los molinos y la extraña pasión de DON QUIJOTE. Si quiere ser parte de los juegos de palabras y las bromas para reflejar cambios de paradigma en la cultura, vaya a leer LA GUARACHA DEL MACHO CAMACHO, donde estoy seguro de que Luis Rafael Sánchez le complació. Eso sí, algunas de las narraciones que este escrito contiene me obligaron a utilizar la estrategia de Abelardo Díaz Alfaro en

UN POLICIADO

EL JOSCO, para que mediante el diálogo pueblerino, la narración y la descripción metafórica, corretee por un trozo de mi vida.

Tampoco esperen encontrar aquí una autobiografía completa que les ayude a comprender mis acciones y ambiciones. No escribo para revelar mi vida entera y exponerme junto a mis padres al escrutinio social, porque al menos ellos no lo merecen. Lo hago para que conozcan algunas de las travesías y desafíos que he enfrentado para llegar a donde estoy.

Para eso, realizaré un montaje textual donde intentaré narrarle desde mi perspectiva, como llegué hasta aquí. Por eso, selecciono y excluyo eventos en ejercicio de mi más responsable recuerdo y percepción. Además, utilizaré acomodaticiamente la fábula y el mito para ponerle pique imaginativo a esas vivencias. Con eso claro, es importante dar paso a lo sucedido y permitir que la historia cuente el proceso.

No sean tan exigentes con este escrito, mire que con el tiempo hemos permitido que la música contagiosa pasase de ser aquella con letra estructurada y mensaje coherente a la constante repetición de TITÍ ME PREGUNTÓ SI TIENES MUCHAS NOVIAS. Además, permitimos que las obras de teatro pasaran de ROMEO Y JULIETA a ESA BARRIGA NO ES MÍA. Si los seguidores de Shakespeare han podido lidiar con eso, ahora está prohibido ofenderse con las palabras mal escritas, los acentos olvidados, las comas imprudentes o peor aún, ausentes.

LA IDEA

La idea de narrar esta historia surgió a finales del 2021 trabajando como abogado para el Negociado de la Policía de Puerto Rico. Un día, llegué a mi oficina rajando la hora de entrada y algún policía madrugador, o al menos eso pensé, se había estacionado en el espacio que regularmente utilizo para esos efectos. Como buen ciudadano, estacioné mi vehículo bloqueando al madrugador con la única y genuina intención de que cuando fuera a salir, me requiriera auxilio y así, al permitirle la salida, yo pudiera tomar el espacio en el estacionamiento.

Cerca del mediodía, sonó el timbre de la puerta de la oficina y de inmediato pensé que era el madrugador buscándome. De un salto, tomé mis llaves para llevar a cabo mi elaborado plan de estacionamiento. Para mi sorpresa, allí estaba ella, parada en la puerta, con su uniforme de policía "Clase B". La camisa era azul marino con letras doradas bordadas que, entre otros detalles, indicaban su rango de Teniente II y el pantalón era color crema. Su apariencia me impactó porque se veía desencajada y despeinada, diría que desde hacía meses. La reconocí de alguna interacción pasada en la Comandancia de Aibonito, donde trabajé por muchos años. Aunque nunca intercambiamos palabras, la Teniente II y yo coincidimos algunas veces en el ponchador. Estando en la puerta de la oficina, la Teniente II leyó el letrero que reza "Oficina de Asuntos Legales, Lcdo. Luis A. Rosario Ortiz" y, al verme salir, me preguntó en un tono suave:

-¿Quién es el licenciado aquí?

Juro por mi madre que pensé que estaba bromeando, ya que ese día vestía de forma elegante y para mí la respuesta era obvia. Así que tomé su pregunta e interrogación como una broma y le respondí de la siguiente manera:

-Un loco que hay por ahí.

Mi respuesta fue tan mala y desatinada que vi cómo su cara se descomponía, sus mejillas se ponían rojas y su postura se volvía erguida, tanto que sentí las letras doradas de su camisa incrustarse en mis ojos. Entonces, con un tono menos sutil, me dijo:

-Te estoy haciendo una pregunta seria, ahí dice que aquí hay un licenciado.

Con la "ingenuidad" que me caracteriza, seguía creyendo que la Teniente II estaba bromeando, por lo que, sin decir nada más, le di la espalda para ir a sacar mi vehículo que obstruía su salida. Como ya expliqué, mi plan era que cuando ella sacara su vehículo, yo pudiera conquistar mi lugar en el estacionamiento.

Sin embargo, al haber liberado el espacio para que ella se marchara, pude observar que la Teniente II entró a la oficina. Dejé el vehículo encendido, me disponía a entrar a la oficina y me encontré con ella de nuevo, ahora de salida. Al verme, argumentó:

-El licenciado no está ahí, necesito hablar con él.

Entonces, ella fue quien vio cómo mi rostro se descomponía, mis mejillas se ponían rojas y avergonzado le dije:

-Soy yo teniente, disculpe, pensé que había preguntado en broma.

En ese momento, moría de vergüenza, entendí que no me reconocía y obviamente no sabía quién era yo. Para hacer más llevadero el mal rato, la invité a entrar y me puse a su disposición. Para mi sorpresa, la Teniente II exclamó enfurecida:

-Es imposible que tú seas el licenciado, tú eres el guardia lleno de tatuajes que trabaja en Arrestos Especiales en el C.I.C. de Aibonito.

Me dio la espalda, subió a su vehículo y se marchó.

Tal intercambio de palabras me causó una rabia que olvidé que mi vehículo estaba encendido, y quedó así durante varias horas. La verdad es que la Teniente II me reconoció, sabía quién era, dónde trabajaba antes y hasta la unidad en la que prestaba servicio. Lo que resultaba "imposible" para ella, era que el guardia de

UN POLICIADO

Arrestos Especiales fuera el licenciado. Por eso, saqué mi lápiz y dediqué tiempo a plasmar algo de esa historia que algunos dudan. En el análisis de lo pertinente, descubrí que nadie entenderá lo difícil que ha sido si no lo explico. Si bien el estigma social y laboral pudieron hacer el camino más difícil, nada ha logrado detenerme.

LA CURVA

En la barriada donde crecí había un gordito de baja estatura y grandes destrezas en la pelea callejera, Sancocho le llamábamos. Peleaba, incluso si estaba solo, el muchachito. Lo más que recuerdo sobre mi relación con él, es el agradecimiento que daba a Dios por estar de su lado en el equipo. Pasé horas muertas con Sancocho y los muchachos en la barriada en los años noventa, jangueando a nuestro estilo. Por eso reconozco que pasé gran parte de mi juventud sin hacer nada. Pero todo terminó una noche que doña Engracia (mi abuela) me vio llegar malherido por una golpiza de la que más tarde contaré y me comentó:

-Te estoy velando charlatán, andas en malos pasos y así no te enseñamos, vas a matar a tu pai.

¡Cuánta razón tenía la vieja! En casa nunca me enseñaron lo que aprendí en la barriada. Con los de la barriada aprendí fidelidad, coraje, valentía y por supuesto un poco de travesura. En mi hogar, especialmente con Engracia, aprendí sobre el

9

respeto, la compasión, el perdón y el temor a Dios. Por esa razón, las experiencias más destacadas de ese proceso de integración de valores se narrarán a continuación. Comencemos con La Curva.

En la barriada San Luis, del pueblo de Aibonito, después del parque de pelota (estadio Hns. Marrero) y la panadería se encontraba el Colmado Abraham, nosotros lo llamábamos "La Curva". Allí solía detenerme para comprar un honey bun con una malta después de salir de la escuela. Además, después de graduarme de la escuela superior, solía reunirme en La Curva con Mikey, Alex, Gallego, Sancocho y algunos otros menos frecuentes, pero de la misma barriada. La Curva era el lugar de encuentro, diversión y alboroto de nuestro grupo. Para mí la conexión con La Curva fue tan fuerte que dejé la iglesia, el deporte e incluso los amores por serle fiel a la estancia diaria y sin sentido de aquel lugar. Obviamente, Engracia odiaba ese sitio, me aconsejaba diariamente y casi suplicaba para que hiciera algo para salir de allí. Todavía no puedo explicar cómo sabía que en La Curva "vendían" drogas y que Sancocho era problemático. Por eso intentaba con todas sus fuerzas sacarme de allí. Esa vieja tenía un sexto sentido que todavía hoy no comprendo. Era como si todos y cada uno de sus años la hicieran más sabia, y con casi noventa que tenía ya pueden imaginar. No obstante, la verdad es que nunca presencié, observé ni participé en nada parecido a la venta de drogas. A pesar de eso, no me cabe duda de que todos en la barriada pensaban que yo estaba involucrado en ese negocio debido a que nunca salía de allí. En La Curva aprendí que éramos una familia que debíamos defendernos mutuamente, compartir lo que teníamos y buscar soluciones a los problemas juntos. Para que tengan una idea, ahora les cuento.

En el 1998, mientras trabajaba para la cadena de restaurantes de comida rápida que promocionaba sus hamburguesas con un payaso, tuve graves problemas. Allí, el novio de mi supervisora, por razones autobiográficas, que ya aseguré, no revelaría, quería golpearme. Como me encontraba dentro del restaurante, aquella bestia enfurecida reunió a todo un ejército de su barrio para esperarme afuera. En ese momento, la supervisora, que sabía que mi padre era policía, me sugirió llamarlo para que resolviera la situación con sus compañeros. Pero yo, siendo de La Curva, jamás haría algo así. Con orgullo callejero y sin pensarlo demasiado, llamé a Sancocho. Hasta el restaurante llegó "La Curva" en toda su expresión. Sancocho, Mikey y otros guerreros formaron una línea de batalla que permitió que yo saliera por la puerta del restaurante como el famoso Rey Leónidas en la batalla de los 300, parcialmente victorioso y cubierto por mis mejores hombres. Para mi desgracia, esa marcha victoriosa no duró mucho. Tres días después, temprano en la mañana, el grupo de la bestia enfurecida me encontró buscando cambio para el restaurante del payaso en el supermercado. Fue en ese momento que, como el Rey Leónidas en la batalla de los 300, tuve que recibir la furia de su enojo. La descarga fue tan fuerte que desperté horas después en el hospital.

12

UN POLICIADO

Esa noche llegué hasta La Curva y mientras hablaba con Mikey sobre lo que me había sucedido, llegó Sancocho. Inmediatamente pude ver cómo su rostro se desfiguró al verme, gravemente herido. Sin demoras innecesarias, Sancocho convocó un cónclave en el que se discutieron los pasos a seguir para el desquite. Lo irónico es que ninguno de ellos me preguntó cuáles fueron los motivos por los que la bestia de la supervisora estaba tan enfurecida. Ni siquiera indagaron si yo realmente quería esa venganza. Para ellos yo era parte de La Curva, y sin importar si hacíamos bien o mal las cosas, nos defenderíamos a muerte. Sin embargo, al llegar a mi casa, la impresión, atención y solución propuesta fue distinta. Mi señor padre, correcto como siempre ha sido, quiso llamar a la policía para poner una denuncia. Mi madre, protectora como es, me preguntó un millón de veces las razones de aquel ataque. Y Engracia, que me recibió con la letanía del "charlatán" que ya les comenté, para luego decirme cosas que me sacaron de La Curva para siempre.

13

UN POLICIADO

Sepa usted que en La Curva, los guerreros continuaron con su plan de vida. De hecho, me enteré de que en un negocio "selvático" cerca de La Curva, Sancocho y Mickey pillaron a la bestia enfurecida de la supervisora. Los rumores detallan que la bestia enfurecida despertó, mansita en el mismo hospital y transcurridas las mismas horas que yo en algún momento. A pesar de la negatividad que La Curva despertó y cultivó el tiempo y las estadísticas indican que la mayoría de las personas que estuvieron allí salieron para ser gente de bien. Esto no significa que no hubiera bajas, en agosto del 2015 en La Curva mataron a uno de los nuestros. Fue el único que permaneció allí y, como resultado de lo que se había convertido, sucumbió.

EL CAMBIO, LA ESTOCADA Y EL RESUELVE

Bien, aquí es donde la cosa se pone interesante. Donde los primeros profesionales dudaron de mí, y toda esta historia empezó a tener forma. El CAMBIO comenzó al salir de los senderos de La Curva, y seguir el camino que Engracia me señalaba. Para eso busqué trabajo fuera del restaurante de hamburguesas del payaso. En el trámite conseguí trabajo de noche en una fábrica en Cayey, y justo cuando la desesperación de trabajar en turnos nocturnos me empezaba a abrumar, un compañero de línea mencionó que estaban buscando policías. Al día siguiente, sin pensarlo mucho, fui al Cuartel General de la Policía de Puerto Rico y gestioné mi solicitud.

No obstante, LA ESTOCADA se dio durante el proceso de reclutamiento de la Policía de Puerto Rico. Fue extremadamente rápido, y en menos de dos meses recibí notificación de haber reprobado con honores la investigación de conducta. No me sorprendió tal distinción porque sabía lo que pensaban de mí en la barriada, y además, el agente que me investigó vivía a cuatrocientos metros de La Curva. En otras palabras, en ese momento no tuve ni remotamente oportunidad de entrar.

Sin embargo, no me iba a rendir fácilmente. Llegó EL RESUELVE, solicité empleo en la Policía Municipal de Aibonito. Sí, aunque no lo crean en Aibonito, había Policía Municipal. Ese proceso fue aún más rápido y milagrosamente, el 1 de junio de 2000 ingresé a la academia de la policía municipal en Villalba. Fueron los seis meses más largos de mi vida y lo que viví allí irónicamente se parecía a lo que Engracia me pedía que hiciera "hijo, si quieres salvarte toma tu cruz y camina". En realidad, el proceso fue un calvario de redención. Pero me gradué, presté juramento y me convertí en el Policía Municipal #9913 de Aibonito. Esa conversión trajo consigo repercusiones en mi familia, vecinos y amigos que ya les cuento.

FAMILIA, VECINOS Y AMIGOS

Estimado lector, no tiene idea de la magnitud del cambio mental y social que ser policía trajo. Tuve que convencer a algunos miembros de mi familia, a los vecinos de la calle Samaria, a mis amigos de La Curva, a mis compañeros de la Policía Municipal y lo más importante a mí mismo de que ser policía era mi verbo. Aquí podrás leer acerca de lo difícil que fue el proceso.

Algunos miembros de mi familia tomaron mi nuevo trabajo tan superficialmente, que llegaron a cometer delitos frente a mis ojos, con la seguridad equivocada de que no pasaría nada. Resultó que mientras trabajaba de Policía Municipal en el pueblo de Aibonito, se me acercó un amigo de la barriada, a quien llamábamos "Canino". Triste, lloroso y preocupado, Canino me manifestó:

-Coño Bertito, me robaron los aros del carro.

Un poco sorprendido, cuestioné:

UN POLICIADO

-¿Cuándo? ¿Dónde? ¿Has presentado una querella?

Canino replicó:

- Anoche, en casa, me dejaron el carro en bloques. Presenté una querella, pero como eres del barrio te lo comento por si los ves por ahí.

Los aros del carro de Canino eran la sensación de la barriada. Claro que podía recordarlos, nadie había tenido algo así por allí y todos queríamos tener unos, o al menos parecidos. Esa misma tarde, al llegar a casa, después de trabajar, fui a ducharme como en un despojo de sudor perenne. Eran casi las 7:00 p.m. y la noche comenzaba a caer. De repente, mientras me duchaba, escuché un fuerte ruido en la casa del lado (sonaba como metal chocando con metal). Esa casa pertenecía a una pariente cercana (mi prima hermana) a quien prefiero no mencionar por respeto y como no, por si deciden adquirir este escrito. Al mirar por la ventana del baño, observé al hijo de mi prima sacando unos aros de carro de la casita de herramientas en la parte posterior de su casa. Como ya mencioné, la luz del día estaba acabando y no podía observar bien de qué tipo de aros se trataba. Sin embargo, tal acción despertó en mí un instinto vigilante que me llevó a mi primer gran esclarecimiento de un caso criminal. Resulta que durante la vigilancia atisbe cómo el hijo de mi prima movió los aros uno por uno hasta la entrada de su casa. Para mi sorpresa, otro primo, a quien llamaré "Lu" de nuevo por lo de la adquisición del escrito, se acercó a brindarle ayuda al hijo de la prima. Para poner en contexto, Lu fue mi amigo y vecino durante mi infancia. Pues Lu, y el hijo de mi prima, empujaron los cuatro aros por la carretera hasta llegar a la casa de Javo. Javo, también amigo de infancia, no estaba en escena mientras se adentraban en sus territorios. Sí, querido lector, todo esto lo observé desde la bañera con perplejidad desnuda. La desconfianza y mala energía de lo que vi, me impidieron dormir esa noche. Pensé en tantas cosas, uní cabos sin tener toda la información y con muy pocas esperanzas de equivocarme, deduje que esos eran los aros de Canino. Temprano en la mañana, con mi uniforme de policía puesto y mi intención investigativa en marcha, caminé hacia la casa de Javo. Toqué la puerta, grité su nombre y él, reconociendo mi voz de inmediato, salió a mi encuentro.

-¿Qué pasó?, preguntó Javo.

Le narré con lujo de detalles lo que vi por la ventana del baño. Entonces, me cuestionó:

-¿Cómo puede ser? ¿Eran aros de carro?

Señalé aproximadamente el área donde los vi entrar en su propiedad. Con incredulidad y lentitud, Javo se adentró en su terreno y tardó algunos minutos. Al salir, su rostro de asombro me dejó claro que los había encontrado allí.

-Están ahí, me dijo. (más jincho que un papel)

-Yo lo sé Javo, yo los vi meterlos para allá, le comenté.

Así que, con la confianza familiar y de vecindad que tenía con Javo, le conté la historia de Canino. Vi sus ojos llenarse de lágrimas y por un momento pensé que podría saber algo de lo que yo imaginaba, pero enseguida me invitó a pasar y sin dudarlo me dijo:

-Entra Bertito (así me llamaban) y comprueba si son esos.

Por supuesto que entré, y cuando descubrí que todo lo que sospechaba era cierto, perdí FAMILIA, VECINOS Y AMIGOS. No obstante, obtuve el respeto de mis compañeros policías, confianza en mis instintos y madurez.

LA CALLE DR. TROYER

La Policía Municipal de Aibonito era un cuerpo de seguridad pequeño, con salarios bajos y recursos limitados. Sin embargo, esto nunca fue un obstáculo para aquellos que trabajaban allí con orgullo. No todos compartían ese sentimiento, pero aquellos que sí lo hacían lo demostraban a través de su trabajo.

Para compartir esta próxima experiencia, les contaré lo que sucedió. El principal servicio de la policía municipal de Aibonito era garantizar la seguridad del pueblo o casco urbano. Por lo tanto, durante el 2000-2001 y durante el día, era común ver una patrulla con dos policías, un par de motociclistas y un par de ciclistas patrullando el pueblo. Aunque al principio participé en todas esas formas de patrullaje, con mayor frecuencia fui asignado como ciclista.

Trabajar en bicicleta y rodear el pueblo durante ocho horas era extenuante, pero al mismo tiempo interesante. En los límites del pueblo o casco urbano de Aibonito, se encuentra el Hospital

UN POLICIADO

General Menonita y la calle Dr. Troyer bordea dicho hospital. Esa calle colinda específicamente con la sala de emergencias del hospital, y había un terrible problema de estacionamiento allí. Fue incontable la cantidad de multas administrativas que emití en la calle Dr. Troyer. Allí me topé con el primer caso, que me hizo repensar mi rigidez en la carrera policial. Una mañana llegué, como de costumbre, a la Dr. Troyer. Eran casi las 9:00 a.m. y la fila de vehículos estacionados en la línea amarilla era de unos diez (eso era así todos los días). Me detuve, tomé mi libreta de boletos y empecé a trabajar. Mientras estaba confeccionando el quinto o sexto boleto, un joven se acercó y me dijo que el primer vehículo de la fila era de él. El joven intentó explicarme que había llevado a su padre a la sala de emergencias, y que no pudo encontrar estacionamiento. Me dijo que se iría de inmediato y preguntó sobre las posibilidades de que le quitaran la multa. Ante mi negativa a esa posibilidad, el joven caminó hacia su vehículo. Segundos después, regresó con el boleto en la mano y me dijo:

UN POLICIADO

-¿Puedo dejar el carro ahí ahora? Porque ya me dio el boleto, ¿verdad?

Sin mirarle y casi sin que terminara su planteamiento respondí:

-No, tienes que sacar el carro de ahí.

El joven se marchó de nuevo y yo terminé los boletos que me quedaban, que para entonces se reducían a tres. Después de completar mi tarea, volví al lugar donde había dejado la bicicleta. Para mi sorpresa, el vehículo del joven todavía estaba allí, el boleto había sido colocado nuevamente en el parabrisas y no había ni rastro de él. Sentí rabia, molestia y que se me estaba faltando al respeto. Por esta razón, sabiendo que había dicho que su padre estaba en la sala de emergencias, entré a los predios del hospital para buscarlo. Al llegar cerca de la entrada lateral de la sala de emergencias (por donde llegan las ambulancias), puede observar al joven que estaba en cuclillas al lado de una columna (maliciosamente pensé que se estaba escondiendo). Sin dar muchas vueltas, me acerqué al joven para obligarlo a mover su vehículo. Para mi sorpresa, el joven no estaba tratando de esconderse, estaba llorando inconsolablemente porque su padre acababa de fallecer.

Desde ese día, sin importar las razones por las que se estacionaran, nunca más di un boleto en la DR. TROYER. De hecho, me prometí intervenir con las personas con las que tuviera la oportunidad de interactuar. Así intervendría con los vehículos en movimiento y tendría la oportunidad de observar, escuchar y decidir con mayor prudencia. Sin embargo, esa nueva técnica autoimpuesta tampoco me fue muy bien que digamos. Ya lo verán. . .

MANOLO

Ya en el año 2002 empecé a experimentar, sentir y deducir que no existía ninguna paridad entre el trabajo que realizaba y la remuneración económica que recibía. Recuerdo haber hablado sobre esos asuntos que no cuadraban en la plaza pública con "Pitcher," un compañero municipal muy conocido y respetado tanto por haber sido lanzador del béisbol doble A, como por sus hazañas policiales. Pitcher me aclaró todas mis dudas, y activó mi mente para dedicarme a otros asuntos. Me dijo:

-Rosario, nosotros cobramos por ser policías municipales. Tú sientes la diferencia entre el trabajo y la paga porque haces más de lo que se te pide.

Recuerdo haberle dado la razón y seguir con mi patrullaje en bicicleta, pensando en lo que podría hacer para remediarlo. Veinte minutos después, arresté a Manolo en el caserío y se desató un pandemonio.

UN POLICIADO

Como les comenté en el capítulo anterior, había decidido limitar los boletos por falta administrativa a vehículos estacionados y comencé a buscar la intervención con personas que transgredieran la ley en mi presencia. Pues resulta que, habiendo reflexionado con Pitcher, trasladé mis servicios al área de la tabacalera. Estando allí, un personaje conductor de un Honda Civic, hizo caso omiso de la señal de PARE y continuó su camino hacia las oficinas del correo postal de Aibonito. Como un león presto para atrapar a su presa, pedaleé para alcanzarlo, y justo en frente del correo, intervine con el personaje. Sepa usted que no bien había comenzado la intervención con el personaje del Honda Civic cuando llegó hasta mí desde el interior del residencial Liborio Ortiz, una mujer bañada en sangre. Cuando digo, bañada en sangre literalmente de su cabeza, brotaba sangre en cantidad tal que no se podía apreciar su rostro.

-¿Qué te pasó?, pregunté.

-Manolo me dio con la pistola, contestó la ensangrentada.

UN POLICIADO

Tomé el radio portátil, pedí refuerzos, la ambulancia e informé sobre la agresión a la mujer ensangrentada.

Si solo hubiera prestado atención a la orientación de Pitcher, en ese momento hubiera permanecido frente al correo esperando la ambulancia y la llegada de los policías estatales para atender el caso. Sin embargo, ese no era yo. Senté a la mujer ensangrentada en la acera y le pedí al personaje del Honda Civic que se quedara con ella. Después tomé mi bicicleta, y pregunté:

-¿Dónde está el tal Manolo?

La mujer ensangrentada respondió rápidamente:

-Está en la entrada oficial, es bien gordo y lleva una camiseta amarilla.

Me dirigí al residencial y justo en la entrada alcancé a ver aquella gigantesca figura que, sin temor a equivocarme, pesaba cerca de trescientas libras. Dos cosas importantes ocurrieron al mismo tiempo, mientras le hablaba al individuo:

UN POLICIADO

-Manolo, pon las manos en alto y donde pueda verlas. (Recuerde que la ensangrentada me dijo que le dio con la pistola).

Simultáneamente, algún compañero dijo por radio:

-Al municipal que no entre solo, supuestamente el agresor es Manolo, el de Cayey.

¡Tarde para el nieto de Engracia! Ya estaba frente a él, no tenía otra opción que intervenir solo. Increíblemente, Manolo y sus trescientas libras comenzaron a correr hacia el interior del residencial. Aún más increíble, por alguna razón, decidí dejar la bicicleta y emprender la persecución a pie (todavía no entiendo cómo pude calcular que sería más rápido corriendo que en la bicicleta). Aunque no fue mucho lo que Manolo pudo hacer para huir, fue suficiente para que estuviéramos completamente en terreno del residencial. Allí Manolo tenía su ejército listo, mientras el mío no estaba ni cerca. Cómo pude, hice que Manolo cayera al suelo y logré quitarle una pistola que tenía en la cintura. Debido a su

tamaño corporal y las dimensiones de sus brazos, no podía ponerle las esposas. Para colmo, mientras le gritaba para que se mantuviese en el suelo, escuché disparos. Primero creí haber escuchado que los disparos eran bien lejos, por lo que continué pidiéndole a Manolo que no se moviera y por radiocomunicación di la alerta máxima de un policía en peligro (en clave). Sin embargo, nuevamente escuché disparos y esta vez vi la grama, junto a mis pies, levantarse con ellos. El pánico se apoderó de mí, y sin pensarlo dos veces, sustraje mi arma, me tiré al suelo y de un solo jalón puse a Manolo y sus trescientas libras sobre mí.

-Si siguen disparando, a ti es que te van a dar, le dije.

-Cógelo suave guardia, que estás nervioso y se te zafa un tiro, Manolo argumentó.

A los pocos minutos llegaron los refuerzos, nadie más disparó y saqué a Manolo, arrestado del residencial.

UN POLICIADO

Esa misma tarde fui a la fiscalía para consultar el caso, y allí me enteré de que Manolo era parte de un grupo de individuos del pueblo de Cayey, que controlaban el punto de drogas en el residencial. Los agentes de drogas de la Policía de Puerto Rico llegaron a la fiscalía y cuestionaron incrédulamente:

-¿Qué policía es ese? ¿De dónde salió? ¿Municipal?

Para ellos, los policías municipales no eran policías. Para mí resultaba increíble que siendo los policías municipales quienes patrullaban el área del pueblo donde se encontraba el residencial, no tuviésemos idea de quién era Manolo.

Sobre el caso, les diré que la mujer ensangrentada nunca quiso presentar cargos formalmente contra Manolo. Por tanto, la agresión que dio paso a mi intervención nunca llegó al tribunal. Y la pistola, pues hasta fiscalía llegaron unos agentes del gobierno federal y se llevaron a Manolo al tribunal gringo.

UN POLICIADO

Les dije que fue un pandemonio, toda esa secuencia de hechos se dio a minutos de haber reflexionado con Pitcher sobre mi lugar en la Policía Municipal. Después de eso, recibí algunos mensajes subliminales de la vida para irme a nadar a otros mares. Como lo que me pasó con el Convertible.

EL CONVERTIBLE

Cuando eres policía, a las buenas o a las malas, aprendes a tomar decisiones. Al final de cada día, tienes que saber hacerte con el resultado de ellas. De la misma manera, cada día en el servicio es como estar en un salón de clases en el que constantemente te conviertes en alumno de un maestro cambiante de materia, sin avisar. A eso es meritorio añadir que, en el caso específico de este suscriptor, comenzando mi vida policiaca, mis conocimientos legales eran pobres, mi pericia laboral deficiente y mi talento para meter la pata protuberante.

Iniciando el mes de julio, en el 2002, se estaba celebrando en el pueblo de Aibonito el famoso Festival de las Flores. El Comisionado de la Policía Municipal me asignó un servicio preventivo como motociclista en el área del festival. Las instrucciones fueron claras, me asignaron junto al policía municipal "Gruñón" a permanecer en la periferia del festival, controlando el tránsito y los estacionamientos.

UN POLICIADO

Recuerdo que el Comisionado, sabiendo de mis dotes "revuleros" y de la poca paciencia de Gruñón, prácticamente suplicó para que nos ciñéramos a sus mandatos.

Antes de empezar cada día de trabajo, Gruñón solía pulir la motocicleta policial como si fuera el juguete de un niño en Navidad. Aunque esta costumbre no me fascinaba, me resultaba vinculante. Resulta que en esa rutina, las súplicas del Comisionado sobre sus mandatos se dieron por no puestas. Eran cerca de las 10:00 a.m. y estábamos frente al Cuartel Municipal que se ubicaba en el sector El Campito, cerca del pueblo de Aibonito. Mientras Gruñón pasaba el paño sobre el níquel de la motocicleta por decimoquinta vez, yo me encontraba verificando mi equipo para salir a la calle. De repente, escuchamos la aceleración descontrolada de un vehículo, el chirrido de los neumáticos y el vehículo se acercaba rápidamente hacia nosotros. Era un Pontiac Convertible rojo, conducido por una mujer.

UN POLICIADO

-Esta no quiere mucho el carrito, comentó Gruñón.

Crucé miradas con Gruñón y las intenciones de intervenir con aquella mujer parecieron morir cuando me dijo:

-Olvídate de eso, vamos para el festival. Si el Comisionado escucha por radio, que estamos interviniendo por acá, le da algo.

Asentí con mi cabeza y me dispuse a abordar la motocicleta. No bien deposité mi trasero en la motocicleta, cuando la voz del retén de turno de la Policía Estatal moduló por radio:

-Atención, a todas las unidades, vehículo hurtado recientemente en el área del Campito.

Otro Policía moduló:

-¿Qué vehículo es?, y ¿cuál es la tablilla?

El retén, continuó:

-Pontiac Firebird Convertible del 1998, color rojo, tablilla terminando en 003. Aparentemente, una fémina se apropió del mismo.

UN POLICIADO

La perplejidad se apoderó de mí por unos segundos, y mi reacción no tuvo que ser consultada con nadie. Puse en marcha la motocicleta, y a toda velocidad fui tras el Convertible. En el camino, pensé: «no solo se atrevió a robarse el carro, lo pasó por nuestras narices». Aceleré todo lo que pude hasta lograr darle alcance. La decisión no fue solo mía, Gruñón seguía mi rumbo y por radio comunicó que teníamos el vehículo hurtado ubicado. Mientras Gruñón cursaba la ubicación, se me ocurrió la brillante idea de tocar la sirena, encender el biombo y ordenar detenerse a la osada mujer. Así lo hice, y cuál corredor de cien metros al disparo, aquel Convertible, pareció encender turbinas de avión. El seguimiento se tornó en una persecución que nos llevó al pueblo de Salinas, dónde el Convertible chocó varios vehículos y yo terminé chocando con él.

Recuperado el CONVERTIBLE (ligeramente destrozado), arrestada la mujer y llevada en grúa la motocicleta, tocó enfrentarme al Comisionado.

UN POLICIADO

Aquella reunión fue como esa nalgada que dan al recién nacido para que abra sus pulmones llorando. No hubo felicitaciones por el arresto, tampoco agradecimiento por el deber cumplido. A Gruñón, le quitaron la motora para que se diera un gustazo en el turno nocturno. Y a mí, como no tenían motora que quitarme, me enviaron al pueblo a pie un par de semanas. Eso sí, el Comisionado me dio un consejo en aquella reunión que resultó ser muy tentador, me dijo:

-Solicita para la Policía Estatal, muchacho, y vete a trabajar en Operaciones Especiales, Drogas o algo así. Allí trabaja gente como tú.

Pero hice caso omiso a esas recomendaciones y tuvo que llegar la golpiza para que yo diese paso a lo inevitable.

LA GOLPIZA

Trabajar en un pueblo tan pequeño como Aibonito significaba pasar por los mismos lugares varias veces al día. Por eso, entre mis compañeros y yo no había distancias sustanciales, y aunque estaba solo en mi patrullaje, mis refuerzos estaban relativamente cerca. Bueno, al menos eso pensaba, hasta que desesperadamente necesité ese refuerzo.

En esos tiempos (2003-2004) se implementaba en Aibonito, en Código de Orden Público. El Comisionado de la Policía Municipal estaba pendiente de que cumpliéramos con la normativa, y muy especialmente de no permitir ruidos innecesarios en el casco urbano. El viernes 7 de noviembre de 2003 me encontraba en la calle San José, justo en el centro del pueblo. Como ya eran las 3:45 p.m., estaba listo para emprender camino al cuartel y culminar mis labores. Sin embargo, los planes del Comisionado eran otros. En un acto muy inusual, el Comisionado se comunicó por radio y me preguntó en código policial por mi ubicación. Al responderle, me dijo:

-Pues justo va a llegar a donde estás, un Toyota Tercel Gris con la música a un volumen muy alto.

Desde donde estaba, apenas podía observar el Toyota Tercel, pero la música del Tego Calderón la escuchaba clarita. Me acerqué al vehículo sin prisa, pero sin pausa, hasta que frente a la tienda "Tránsito" le hice señas al conductor para que bajara la música. En ese momento, el Comisionado volvió a hablar:

-Rosario expide el boleto por violación al código de orden público, yo voy de testigo.

El conductor del vehículo bajó momentáneamente el volumen de la radio, pero al segundo de indicarle que le expediría un boleto, volvió a subir el mismo e incluso cerró el cristal. En el interior del vehículo había tres caballeros, que luego resultaron ser "los hermanos Calientes".

UN POLICIADO

En esos momentos el tráfico era insoportable, por lo que para poder proceder con la intervención de manera positiva, mentalmente, tracé y autoimpuse varios parámetros de cumplimiento. **Primero**, debía hacer que el vehículo se estacionase de manera que los demás vehículos puedan continuar su paso. **Segundo**, tenía que ser rápido para no causar revuelta que obstruyera aún más el tránsito. **Tercero**, había que evitar contra tiempos, pues ya era hora de salida. A pesar de cumplir con todos mis planes mentales, descubrí "a las malas" que olvidé lo más importante, mi seguridad.

Para cumplir con el primer parámetro autoimpuesto, le ordené al conductor estacionarse a la orilla de la calle. Así lo hizo, y el tráfico vehicular continuó su paso. Al acercarme hasta la puerta del conductor y cumplir con el segundo parámetro, llevé conmigo la libreta de boletos e inmediatamente le expresé las razones de la intervención, solicité su licencia de conducir y este sin mediar palabra, me la entregó. Como la calle era angosta, pasé a la parte posterior del vehículo a proceder con la confección del boleto. En ese momento, la tercera auto imposición se vino abajo. Escuché el sonido de una puerta. Observé a Caliente #1 (conductor) salir del vehículo, se acercó y me dijo:

-Ya estoy cansao de la misma mierda.

-Manténgase en su vehículo, ordené.

-Siempre la misma jodienda, comentó.

Caliente # 1 se acercó tanto que tuve que extender mi brazo para alejarlo.

De repente, escuché el sonido de las puertas del vehículo y al instante Caliente #2 y Caliente #3 estaban afuera.

Caliente #1 arrancó la libreta de boletos de mi mano y la arrojó al suelo.

-Ok, estás arrestado, le dije.

UN POLICIADO

-Tú y quién más, contestó.

Traté de sujetar su brazo para arrestarlo, mientras les instruía a sus hermanos a mantenerse alejados. Resistiéndose al arresto, Caliente #1 me lanzó varios golpes que, debido a su lentitud, constitución obesa y baja estatura, supe que tenía dominados. Lo llevé al suelo, torcí su brazo y cuando me dispuse a colocar las esposas, "se apagó la luz". Sentí un golpe fuerte en la cabeza y treinta minutos después desperté en el hospital.

Una herida abierta en la cabeza, otra en la ceja derecha, ojos morados y nariz desfigurada, fue el resultado de ese incidente. Testigos relataron que durante cinco minutos, los hermanos Calientes literalmente tomaron mi equipo policiaco y me agredieron con él. De hecho, algunos cuentan que, de no ser por el Sargento de la Policía Municipal, quien llegó al rescate, mi arma reglamentaria hubiera sido puesta a prueba conmigo.

UN POLICIADO

Los hermanos Calientes fueron arrestados, procesados y encarcelados por un ridículo periodo de tiempo. En el tribunal se le pidió una disculpa pública y cual palmada al niño malcriado en el "trololó" salieron sin más.

Necesité espacio para procesar la **GOLPIZA** y el daño. Tiempo para entender el proceso y aceptar el resultado. Muchas veces me pregunté por las razones de aquel ataque. A pesar de que Caliente #1 afirmó estar cansado de lo mismo, yo nunca había intervenido con él antes. Las motivaciones de ese ataque no tenían que ver con un boleto por música a alto volumen. De hecho, meses después, Caliente #1, que estaba en un puesto de perros calientes cerca del cuartel de la Policía Estatal de Aibonito, le contó a algún conocido mío sobre el incidente:

-Esos municipales son unos pendejos, con guille de policías. Por eso cogimos al puerquito de San Luis y le dimos lo suyo.

UN POLICIADO

Entonces, en un diálogo espiritual con la figura divina en la que creo, supliqué por un milagro que me sacase de la Policía Municipal.

EL MILAGRO

Muchas personas me han preguntado si emigré a la Policía de Puerto Rico, porque ya había rumores de que la Policía Municipal de Aibonito sería eliminada. La realidad es que no, las razones fueron variadas y, por encima de todo, económicas. Después de los tiros en el residencial y la golpiza, comenzó a incomodarme ese pensamiento de que estaba haciendo el mismo trabajo por menos remuneración. A eso se añadió, la llegada de un nuevo Comisionado a la Policía Municipal. Este nuevo jefe, aunque llegó desde las filas de la Policía de Puerto Rico, trajo consigo una metodología de trabajo aún más estricta, cerrada y con muy poca posibilidad de desarrollo laboral. Estoy seguro de que no era su intención limitar a los policías, sino cumplir estrictamente con las instrucciones del señor alcalde. La llegada de tal estrategia laboral seguramente impulsó a más de uno a largarse, pero solo dos dimos el salto.

UN POLICIADO

El primero fue Gruñón, quien, siendo hijo y hermano de Policía Estatal, ya había tenido premoniciones con el cambio. Estoy seguro de que la llegada del nuevo Comisionado agilizó su decisión. Una mañana del mes de abril de 2004, Gruñón llegó con varias bolsas negras grandes hasta el cuartel municipal. Con mi experiencia de vida no narrada en estos escritos, me pareció una de esas instancias en que te expulsan del que creías tu hogar y no tienes techo seguro. Sin embargo, Gruñón sonreía como si la vida le estuviese dando un nuevo aire. Pensé, "bueno, también me sentí así cuando me expulsaron del que creía…"

Entonces, sin rodeos le cuestioné:

-¿Qué pasó?

-Me voy, contestó Gruñón.

-¿Cómo que te vas?, repliqué.

-Solicité para la estatal y me voy de aquí, aseguró.

UN POLICIADO

Toda esa mañana estuve pensando en la decisión de mi compañero. Además, habiendo ponderado tal decisión, yo había estado pendiente a las convocatorias y no estaba al tanto de ninguna para ser agente estatal. Pasado el mediodía, llamé a Gruñón y le pregunté sobre el proceso. Me dijo que estaban reclutando para Policías Estatales Escolares y que, aun con ese apellido laboral, el salario era mejor que el nuestro y que eventualmente él solicitaría pasar a ser agente de la Policía de Puerto Rico. El tiempo que me tomó decidir entre ser Policía Estatal Escolar y mantenerme como Policía Municipal, casi me cuesta la entrada. Dos semanas después, el último día para solicitar, acudí al Cuartel General de la Policía de Puerto Rico y así lo hice.

A diferencia de Gruñón, no entregué mi equipo y uniformes inmediatamente. Permanecí trabajando mientras el proceso se llevaba a cabo, ya que tenía miedo de que el investigador de conducta buscara en los baúles del pasado mi conexión con La Curva y volviera a fracasar. Pero el proceso fue extremadamente rápido, tanto que el examen psicológico y el físico me fueron realizados en un mismo día. El día 2 de junio de 2004, recibí la carta de citación para la juramentación al cargo de Policía Estatal Escolar. La cita fue pactada para el 4 de junio de 2004, a las 8:00 a.m. en el Cuartel General. Siendo honesto, no estaba muy encantado con el nombramiento y las funciones. Yo quería ser policía, estar en la calle, atajar a los delincuentes y un policía escolar no era nada de eso.

Llegada la juramentación, se dio EL MILAGRO. Un agente de la Policía de Puerto Rico recibió al grupo que para mi sorpresa era grandísimo. De hecho, llegué a plantearme para mis interiores, como era posible, tantos policías escolares. El agente llamaba a los presentes en grupos de quince e inmediatamente comencé a darme cuenta de que algo andaba raro. Entraban quince y salían diez, entraban quince y salían ocho.

UN POLICIADO

Cuando llegó mi turno, entré a un salón con varias sillas, me entregaron un montón de documentos y un sargento me dijo:

-Debe firmar todos los documentos en tinta azul. Pero antes, debe saber que la convocatoria a Policía Estatal Escolar ha sido dejada sin efecto. Cómo el proceso de reclutamiento ha sido el mismo, les estamos juramentando como cadetes de la Policía de Puerto Rico, eventualmente si pasa la academia al puesto de agentes. Si desea asumir el cargo, debe leer bien los documentos y firmarlos.

Sentí una alegría que todavía, al narrar lo que allí pasó, me da nostalgia de la buena. Tomé los documentos y, junto a otros tres de los quince, pasamos a un anfiteatro aledaño. Allí estaban los que no salían, los que decidieron quedarse y los que, luego de muchos documentos firmados, advertencias recibidas, bienvenidas e instrucciones complejas, juramentamos al cargo. A las tres de la tarde de ese 4 de junio de 2004 (viernes) salí a comprar nuevo uniforme, botas y equipo. Debía reportarme a la academia de la Policía de Puerto Rico el lunes 6 de junio, a ser cadete, una vez más.

En la academia, todo fue más fácil que para ser municipal. No tuve que pernoctar allí y solo estuve entre tres y cuatro meses. Entre los documentos firmados en el Cuartel General estaba un acuerdo en el que nos comprometimos a completar el grado asociado fuera de la academia en un término determinado. Por lo tanto, la academia fue operacional y estrictamente de asuntos policiales. De esa manera, en octubre de 2004 me convertí en agente. Y la suerte no quedó ahí, cual "flor en el culo", el periodo siguiente a mi juramentación, trajo una gama de situaciones suertudas que me abrieron camino fugaz al destino deseado.

LA FLOR EN EL CULO

En octubre de 2004, graduados de la academia, los recién nombrados agentes, fuimos enviados a nuestros pueblos natales (o cerca) mientras se dilucidaba la huelga de la Autoridad de Acueductos y Alcantarillados. Increíblemente, y para sorpresa de muchos, en solo cuatro meses estaba de vuelta en Aibonito, esta vez con uniforme distinto. Pero no todos me recibieron con aprecio en el cuartel. De hecho, hubo un compañero que tan alegre se sintió con mi llegada, que llegó a expresar:

- Y como este llegó tan rápido, se nota que es hijo de papá, o es que tiene la flor en el culo.

Algún otro, con mayor alegría, comentó:

- Pa ca que no venga con plegostes, como hacía en la municipal.

En ese momento, mi padre era capitán de la Policía de Puerto Rico y fue de ahí de donde surgió lo de "el hijo de papá". Sin embargo, mi llegada a Aibonito, como ya mencioné, no tuvo nada que ver con mi padre. De hecho, ninguno de los desvíos procesales, estrategias acomodaticias y resultados positivos en mi carrera policial estuvo ligado al puesto jerárquico de mi padre. La verdad es que el poder o influencia de mi padre en la policía era tan pobre que, cuando por mérito propio se convirtió en capitán, lo enviaron a un residencial reconocido en el área metropolitana de regalo. Mi padre no tenía casa con piscina o hacienda dominguera para llevar a los de altura jerárquica. Y para su desdicha, no consumía alcohol, cosa de la que estoy seguro le hubiese abierto algunas puertitas (digo yo). En fin, no pudo ayudarse, acomodarse y beneficiarse a sí mismo.

Por otra parte, debo admitir que el comentario de ese compañero sobre "la flor en el culo" tiene sus méritos. Aclarando el significado de esta expresión, es simplemente "tener mucha suerte". Pero no solo tener suerte una vez, sino todas las veces. Cuando alguien tiene suerte de forma continua, se puede decir que esa persona "tiene una flor en el culo". Y así fue, a tres días de ser policía estatal, estaba en Aibonito. Allí un sargento me asignó un puesto de vigilancia en una caja de agua en el Barrio La Plata (zona rural lejana). Fui transportado en un vehículo oficial hasta la entrada de la caja de agua y caminé cerca de 5 minutos para llegar a ella. En el lugar relevé a un agente joven, pero que su lema de trabajo siempre fue "cansao, cansao". Me quedé en la caja de agua exactamente a las 2:00 p.m. solo con un radio portátil y mi teléfono celular, sin cobertura. Desde el inicio tenía mis dudas sobre la complejidad del servicio, ¿cómo haré para comer?, ¿a quién llamo? Pero era nuevo, no iba a estar quejándome desde el principio. Además, entendía que el sargento sabía que estaba allí, y en algún momento pasaría a supervisarme.

Para mi sorpresa, después de unas cuatro horas y media, lo único que llegó fue la noche.

UN POLICIADO

Empecé a sentirme un poco incómodo y traté sin éxito de llamar por radio, así que decidí caminar hasta el lugar donde me habían dejado para ver si conseguía señal telefónica. No tuve éxito, volví a la caja de agua y con menos esperanza esperé. Pasadas las nueve de la noche, me di cuenta de que no vendrían. Recordé que en el camino de llegada divisé una residencia no tan lejos del lugar, y decidí emprender a pie el camino, a ver si conseguía comunicación. Caminé cerca de quince minutos hasta llegar a aquella solitaria, pero moderna residencia. No tuve que hacer mucho para que notasen mi llegada, los perros hicieron ese trabajo y, bien llegando en el balcón, ya me recibían. Para mi sorpresa, era Kenny, lo conocía porque habíamos estudiado juntos en la escuela superior, y al verme uniformado, aunque desorientado, me recibió con tranquilidad. Le hice una leve explicación de mi osadía, y solicité su auxilio telefónico. Sin pensarlo, me prestó su ayuda y llamé para pedir ser relevado. En el

UN POLICIADO

Cuartel no sabían que estaba allí, el sargento había terminado su turno y el que llegó ni idea tenía de mi existencia. El compañero que atendió mi llamada, me instruyó:

-Espera ahí que tan pronto se desocupe la unidad de querellas van a recogerte.

Mientras esperaba, Kenny me ofreció jugo, galletas y café. Así esperé hasta ser rescatado.

Ahora bien, saliendo de los confines de la Plata y recuperada la señal telefónica, llegó "la flor en el culo". Todavía molesto por lo que me habían hecho, recibí la llamada de mi amigo y compadre Matojo. Matojo me comentó que se había enterado de mi reciente juramentación como Policía de Puerto Rico, que estaba trabajando en San Juan con un conocido político para el que estaban buscando escoltas. Para hacer el cuento corto, una semana después del desplante en la caja de agua, pasé de Aibonito a San Juan (Precinto 166 en Puerta de Tierra) y de allí a la Fortaleza en enero del 2005.

UN POLICIADO

Mejor aún, en mayo de ese mismo año volví a Aibonito, esta vez para la División de Operaciones Especiales (DOE).

- ¡Con la flor en el culo ahh…!

LA DOE

Sepan que eso de "la flor en el culo" me persiguió por un tiempo considerable. Requirió mi esfuerzo, trabajo y un poquito más de suerte salir de tal presunción. La sede de la (DOE) estaba ubicada en el sótano del cuartel del distrito de Coamo. Sótano que les invito a recordar, pues ya verán que guarda una irónica y muy especial parte en esta historia. No obstante, hasta allí fui enviado a proveer mis servicios y calmar la fiebre de policía. Es difícil tocar estos temas, sin mencionar la cantidad de opiniones negativas que tenían muchas personas conocidas sobre esa división. De hecho, mi señor padre fue el primero en decirme que para estar allí necesitaba algo más que fiebre de policía. Escuché comentarios sobre las grandes posibilidades de ir preso, de que me demandaran, de que me expulsaran y de que perdiera mi trabajo. Por cierto, el día que recibí el traslado tuve que reportarme con el coronel del Área de

UN POLICIADO

Aibonito, quien al ver el lugar de destino de mi traslado, en tono jocoso, comentó:

-¡Y eso que me habían dicho que eras inteligente!

Sin embargo, nada me importó, ese mismo día llegué a la DOE en horas de la tarde, cerca de las 3:30 p.m. Allí me recibió el Teniente, quien era el director a cargo. La verdad es que el sótano era un poco deprimente, con poca ventilación y rodeado de sillas de un cine viejo que servían como escritorio, mesa y asiento para los colegas. Mientras me entrevistaba con el Teniente, llegaron dos agentes de la DOE para recibir instrucciones. El Teniente se levantó y fue a su encuentro. Le escuché decirles que debían irse a sus casas y regresar a las dos de la mañana para un operativo. Cuando regresó, me dio las mismas instrucciones diciendo:

-¡Bienvenido, muchachito! Hoy no hay trabajo para ti. Ve a casa y mañana a las dos de la mañana preséntate con uniforme negro.

UN POLICIADO

Salí de allí perdido, no conocía a ninguna persona de la división que pudiera orientarme sobre lo que necesitaba. Me dediqué a buscar un uniforme negro con el que pudiera cumplir con las instrucciones. Al final del día, encontré un pantalón táctico que cumplía con los requisitos. Sin embargo, no tuve el mismo éxito con la camisa y tuve que usar una camiseta de manga larga para hacer ejercicio. A las dos de la mañana del día siguiente, todavía no me habían presentado al grupo y escuché las risas de algunos de mis nuevos compañeros. Se acercó un compañero que llamaban Alf, que llevaba tanto equipo policial encima que no era posible entender cómo podía moverse. Me entregó un chaleco y me dijo:

-Ese uniforme te queda bien, pareces un buzo.

Más carcajadas surgieron entre los demás y durante varios meses ese fue mi apodo, "el buzo".

Dediqué mis primeras semanas a estudiar a mis compañeros, descubrir sus habilidades, aprender y buscar mi lugar. En ese proceso entendí que la DOE era como una secta, una comunidad cerrada, un grupo íntimo de amigos. Un grupo que estaba dividido, no de mala manera, sino en base a sus funciones, habilidades, capacidades y deseos.

Me explico, estaban "los tácticos" liderados por Alf, de quien ya hablé el primer día de trabajo. Sus integrantes, Chucky, Gato, Focker, Gordo, Cincue, Barney, Coquí, Mamá, Gringo, Woody, La Bruja y otros que se unieron luego como Xabi, Froggy, Marshmallow y El Bello, eran una máquina aceitada. Ese grupo era productivo, impulsivo, de ataque, de prevención, de impacto y sobre todo con un ímpetu insuperable. Otro grupo eran "los administradores", donde encontrabas al Teniente y a Mano Negra, quien obtuvo su apodo del grupo de los tácticos, pero que era la mano administradora de una división que no podía sobrevivir sin él. Por último, "los vigilantes" compuesto por Vitol, Popó y El León, un grupo de compañeros que se dedicaban a recopilar inteligencia, hacer vigilancia y obtener órdenes de allanamiento. No se confunda, pues, en los interiores, como toda familia, la DOE tenía divisiones. Por ejemplo, los tácticos no interactuaban mucho con los vigilantes o los administradores tenían dilemas con los grupos. Pero eso era adentro del sótano, al salir a trabajar, operar y allanar la historia era distinta. En la calle, el vigilante ayudaba e incluso orientaba al táctico con sus ojos externos. El táctico ponía su mano fuerte, empeño y facultades para hacer valer el trabajo del vigilante. Y los administradores velaban, porque cada uno de los integrantes de la división llevara a término su trabajo correctamente. En fin, era la DOE y a mí no me tomó mucho tiempo entender que funcionaba como cualquier grupo familiar de este país. Los trapos sucios se lavaban en el interior de aquel sótano, pero en el furor del trabajo exterior éramos familia.

No obstante, integrarme a esa familia fue un poco más complejo que decirlo. Resultó que los tácticos no me reconocían en su grupo porque pensaban que provenía de algún grupo "escorpión" o investigativo interno de la agencia. Para ellos, yo estaba allí para monitorearles. Por eso, mi primer arresto en la DOE fue un bálsamo de tranquilidad para muchos. Lo que pasó, obligó a mis compañeros a brindarme ayuda y en el proceso darse cuenta de que no era un "espía". Las circunstancias, el modo y la experiencia de ese arresto aclararon dudas, me abrió las puertas y me permitió dejar saber a todos que estaba en mi lugar. Tal vez, la narración de ese evento no relate con exactitud la emoción que produjo, ya leerán.

Les cuento que una mañana, el Teniente envió a los vigilantes hacer lo suyo en un residencial público de Coamo. Como ya les dije, la asignación de este servidor a los tácticos fue a regañadientes, por lo que tuve que irme en la patrulla con el Teniente los primeros días, pues nadie confiaba en mí. Estando en un lugar estratégico, los vigilantes avisaron por radio de una transacción de sustancias controladas. Vitol dio una extensa lista de motivos fundados para arrestar a un individuo, detallando el nombre, la descripción, la vestimenta e incluso el lugar donde llevaba consigo la sustancia controlada que acababa de comprar. El Teniente dio movimiento al vehículo patrulla para acercarse al individuo y me instruyó a arrestarle tan pronto llegase a nuestro lado. Así fue, llegamos hasta el lado del individuo y cuando me dispuse a bajar de la patrulla, comenzó a correr. La persecución a pie fue larga, agotadora e innecesaria. Larga, porque tuve que seguirlo cerca de cuatrocientos metros. Agotadora, porque corrí con todo el equipo policial puesto. Innecesaria, ya que el Teniente nunca se bajó de la patrulla y llegó al individuo antes que yo. Y es que el individuo intentó acceder a un residencial cercano, pero la velocidad con que se acercó a la verja lo traicionó. Se enredó en la verja de alambres y así envuelto, cayó al suelo. El Teniente, que astutamente llegó primero, se mantuvo dándole indicaciones al individuo para que no se moviera y evitara enredarse más en los alambres. Eventualmente, logré liberar al individuo de los alambres, le puse bajo arresto y ocupé la sustancia controlada.

Sepan que, desde que arresté al individuo y le hice las advertencias de ley, este hizo uso de su derecho a permanecer en silencio de forma ejemplar. No dijo ni una sola palabra hasta ser atendido por el doctor en la sala de emergencias, a donde tuve que transportarle. Increíblemente, al verle malherido, el doctor le preguntó:

-¿Qué te pasó?

 El individuo, sin pena ni verdad, contestó:

-Estos puercos me dieron una pela.

-¿Los policías?, preguntó el doctor.

UN POLICIADO

-Este dientú cabrón —dijo el individuo mientras me señalaba.

El doctor, con semblante inmutado, escribía en su récord lo que escuchaba, y yo, cual recién arrestado en un proceso criminal, maquinaba sobre vociferar que el individuo mentía para defenderme, o si hacía uso de mi derecho a mantener silencio. Así lo hice, mantuve silencio y esperé con paciencia a que le atendieran. Las heridas del individuo fueron serias, le tomaron puntos de sutura en varias partes del cuerpo. Le diagnosticaron laceraciones y hematomas en otras más, y fue una larga mañana en el hospital.

Al salir de allí, el individuo olvidó hacer uso de su derecho a guardar silencio y llegamos hasta el sótano, escuchando sus argumentaciones sobre el supuesto abuso de poder. Llegué hasta el sótano con la intención de recabar la información necesaria para llevar a cabo la prueba de campo a la sustancia controlada incautada y consultar el caso con el fiscal. No obstante, al llegar, los compañeros tácticos estaban allí, y algunas de las mentiras, amenazas y altanerías del individuo fueron escuchadas por ellos. De hecho, su constante palabreo comenzaba a irritarme, pues le advertía de su derecho a guardar silencio y, aunque reclamaba entender, parecía lo contrario. En eso recibí una llamada telefónica importante y le pedí a Chucky que custodiara al individuo unos segundos, a lo que atendía la misma. Dos minutos duró la llamada, al regresar, el individuo ya no estaba tan hablador y lo único que le escuche decirme con posterioridad fue:

-¡Coño!— mala mía, oficial.

De ahí en adelante, el proceso transcurrió tranquilamente y eventualmente el individuo fue encontrado culpable de posesión de sustancias controladas. Sin embargo, aunque nunca le hice daño a esa persona, estoy seguro de que el doctor quedó con la idea de que yo era un abusador. Me di cuenta de que muchas de las opiniones sobre la DOE eran el resultado de una mala e incierta promoción. Además, comencé a relacionarme más estrechamente con mis compañeros y hasta me cambiaron el apodo.

EL FEO

La DOE no era una división policial cualquiera. De hecho, allí estabas convencido de que ningún otro policía se esforzaba, trabajaba o rendía mejor que tú. Competías interna y efusivamente para ocupar más drogas que la División de Drogas y Narcóticos, sabías que eras frente de batalla junto a la Fuerza de Choque y prevenías los delitos mejor que cualquier otro policía de cualquier distrito o unidad. Por cierto, eso hacía que no supieras lo que era disfrutar de fines de semana libres, compartir con tu familia si es que tenías o dedicar tiempo a tus hijos. Pero pese a tales aberrantes realidades, ahí estaba la DOE, "al pie del cañón".

Por otra parte, sepa que las bromas fuertes y los apodos eran internos. De hecho, muy pocos de los apodos de nuestra división migraron el sótano. El mío fue, sin duda, el de más trascendencia. Pero no se trata de "el buzo" que me adjudicó Alf recién llegado, fue "El Feo" adjudicado por el Teniente en una reunión mensual que ahora les cuento.

Todos los meses se celebraba en la DOE una reunión mensual que se conocía como "academia". Allí se discutían asuntos importantes sobre las directrices laborales, lo que se hizo bien, lo que se hizo mal y otros asuntos. En el mes de octubre de 2005, la reunión se llevó a cabo el lunes 31. Ese día, la DOE estaría realizando labores nocturnas como parte de un plan de trabajo del día de "Halloween". El servicio estaba programado de 6:00 p.m. a 2:00 a.m. El Teniente convocó la reunión para las 5:00 p.m. en el sótano. Ese día, estuve temprano trabajando en la documentación y trámite de confiscación de un vehículo que fue ocupado días antes. Mis gestiones retrasaron mi llegada al sótano y me presenté a la reunión cerca de las 5:20 p.m. Al llegar, abrí la puerta del pequeño lugar y se hizo silencio. Todos estaban presentes y, para recibirme por mi retraso, el Teniente, dijo:

69

UN POLICIADO

-¡Ave María purísima, qué susto muchacho, me asustaste! No ves qué feo eres.

Yo, sin pensar mucho, exclamé:

-¡Cómo tú eres tan lindo!

Mi descarga causó un estallido de risas generalizadas, lo que me hizo ganar un nuevo apodo del que jamás he podido desprenderme. Desde ese momento hasta el día de hoy, para la mayoría de los que me conocen en las filas policiales, soy "El Feo". Con este apodo viví los años más interesantes, educativos, escalofriantes y aventureros de mi vida policial. No había descanso y, como en actos de masoquismo puro, te enredabas en situaciones como las del robo domiciliario en Barranquitas.

EL ROBO DOMICILIARIO

Una de las partes más satisfactorias de ser parte de la DOE, era que cada uno sabía sus funciones. Además, todos tenían conocimiento de que, sin importar el grupo interno al que pertenecieras, nadie podía escaparse de los turnos de 6:00 p.m. a 2:00 a.m. los fines de semana. Pero, no había escapatoria de la ronda preventiva de los refuerzos en fiestas patronales y los planes de trabajo en los distritos del área. De hecho, hubo más de una ocasión en que le solicitaron al Teniente menos personal y aun así, el obligaba a todos ser parte del turno.

Narrar, explicar y al mismo tiempo describir la cantidad de situaciones que viví, sirven para un libro distinto al que luego, con más detenimiento y aprobación de mis compañeros, dedicaré tiempo. No obstante, hay algunas anécdotas como las que a continuación narraré que influyeron en mis decisiones profesionales y que, por tanto, voy a detallar.

El 15 de junio de 2006, la DOE fue asignada en rondas de prevención nocturna al pueblo de Barranquitas. Entrada la noche, por radiocomunicación, recibimos una querella que se moduló de la siguiente manera:

-A todas las unidades de Barranquitas, robo domiciliario a un comerciante en la calle abajo. Los individuos salieron del lugar en una Dodge Durango, color vino. Recuerdo haber comentado a mis compañeros:

-¡Qué mala inteligencia, la de estos pendejos!

Tres unidades de la DOE estaban a dos minutos aproximadamente de ese lugar. Por tanto, la secuencia de lo ocurrido fue de película.

Chucky, conduciendo una de las unidades de la DOE, alertó de la posibilidad de que el vehículo tomara el desvío de Barranquitas como salida. Las tres unidades, en fila india, tomaron el mismo rumbo. Al llegar a la salida del mencionado desvío, la Dodge Durango color vino salió hacia la carretera 152 y Chucky le dio paso para que continuara. Al revisar la tablilla de la Dodge Durango, resultó ser robada. Pasando por el negocio "Pikilos", Chucky, Gato y Vitol iniciaron la persecución. Utilizando la sirena y el altavoz, ordenaron al conductor de la Dodge Durango que se detuviera. Sin embargo, estas señales actuaron como el disparo de salida en una carrera de cien metros lisos. Al llegar a la entrada de un instituto vocacional reconocido en la carretera 152, desde el interior del autobús lanzaron un balde de plástico blanco que al chocar con la baranda de seguridad esparció monedas que cayeron sobre las patrullas. El conductor de la Dodge Durango hizo un giro repentino para acceder a la carretera del instituto. En ese momento, desde la ventana trasera lateral de la Dodge Durango, alguien sacó un arma y "pummmm", disparó en dirección a las patrullas.

UN POLICIADO

No se pudo contar la cantidad de disparos que se produjeron posteriormente, pero les aseguro que fueron muchos. Durante el incidente, uno de los individuos que estaban en la Dodge Durango se tiró para huir corriendo. Al percatarme, le indiqué a El León, quien conducía la patrulla donde me encontraba, que se detuviera, y sin bien así hacerlo, ya estaba corriendo tras él. Le di alcance y lo puse bajo arresto con la ayuda del compañero, que eventualmente siguió mis pasos. Más adelante, el conductor de la Dodge Durango perdió el control y se fue por un barranco. Varias armas de fuego fueron incautadas y las patrullas recibieron disparos de bala muy cerca de donde se encontraban los compañeros, incluso donde me encontraba yo. Los otros individuos se internaron en el monte para convertirse en prófugos de la justicia. Esa noche incluso se arrestó a la esposa de uno de esos individuos por intervenir en la búsqueda, obstaculizando la labor policial.

UN POLICIADO

No es que esta situación fuera la peor o más riesgosa en la que he participado, pero sí la que mayor cantidad de compañeros tuvieron su vida en riesgo al mismo tiempo. Por espacio de diez minutos, vivimos en el viejo oeste. Allí, no hubo llamadas de auxilio, exigencias de caballería y nadie pidió refuerzos. Incluso desde el centro de mando, imperó el silencio y los canales de comunicación eran nuestros. La realidad es que en esos momentos, no había nadie a quien llamar. La DOE, ese grupo de bárbaros revueltos, era el auxilio, la caballería y los refuerzos. Finalmente, salimos airosos, el robo domiciliario fue esclarecido y sus perpetradores eventualmente tras las rejas.

Pero claro, no todo tuvo un final de éxito en mis proezas con la DOE. Fracasé malamente en casos que, como buen policía, canté victoria antes de tiempo. Así fue el caso del allanamiento a Chifle.

EL ALLANAMIENTO

Como parte de una división especializada, es importante tener informantes o confidentes. La información es de gran importancia para poder enfrentar la criminalidad. Estando en el sótano, recibí una llamada anónima de un individuo que se autodenominó el Negro. El Negro me dio información valiosa sobre el tráfico de drogas en grandes cantidades y vehículos robados por parte de un individuo, al que identificó como Chifle, residente de una urbanización "escondida" ubicada en Coamo, pero muy cerca de Aibonito.

Con esa información me acerqué al Teniente para indagar sobre las posibilidades de trabajar con los vigilantes para dar seguimiento a la información recibida. Habiendo hecho el acercamiento, el Teniente aceptó y me otorgó una breve estancia con los vigilantes.

Para poder relatar esta historia, algunas técnicas deben ser expuestas, pero no voy a divulgar aquí estrategias que luego impidan a mis buenos compañeros hacer su trabajo. Por tanto, sepa que se hizo lo que se tenía que hacer para obtener una orden de allanamiento a la casa de Chifle. Sin embargo, debe saber que en ese proceso este que les narra observó a Chifle cargar un bulto lleno de droga hasta el interior de su casa **CAMINANDO**.

El diligenciamiento de la orden de allanamiento fue todo un éxito laboral. En la residencia de Chifle se ocupó gran cantidad de droga, armas, dinero en efectivo y hasta vehículos hurtados en la propiedad. No obstante, al diligenciar la orden de allanamiento, se percataron de que a Chifle le faltaba una pierna. El compañero que diligenció la orden de allanamiento, me llamó para cuestionarme:

-Feo, ¿tu estas seguro de que este es el tipo?

El fiscal autorizante me llamó, para indagar:

-Si es él, ¿lo viste caminando?

Eventualmente, en el juicio, el juez que tuvo el caso ante su consideración esgrimió:

UN POLICIADO

-Se desestima el caso.

Un abogado con un nombre asociado al baloncesto y un apellido de realeza presentó el argumento de la falta de pierna y mis observaciones sobre el Chifle caminando antes del allanamiento, logrando sembrar la duda.

Amigos, juro por mi madre que lo vi caminando. Era él, caminando hacia su casa, justo el día antes de que lo encontráramos sin pierna. De hecho, tiempo después me enteré por boca del Negro de que, en efecto, Chifle tenía una prótesis hecha a su medida y capacidad. Que la prótesis fue costosamente preparada para sus necesidades y que, cuando la usaba, podía caminar sin ningún problema.

El abogado con apellido real dejó a su cliente entrar a la sala del tribunal en silla de ruedas, argumentó sobre sus limitaciones en sala abierta y me hizo quedar como mentiroso. Pero también me enseño que la maña y la honestidad se juegan sucio en este trabajo y que si quería combatir a esa gente, tenía que batirme con lo que son sin llegar a ser como ellos. Ese abogado es una de las razones por las que en algún momento decidí agilizar mis neuronas.

No obstante, la DOE pasó a ser historia unos años más tarde. Para algunos, esa fue la casa de los revoltosos problemáticos y violadores de derechos civiles. Para quienes pensaron así, su eliminación fue el inicio a un cuerpo policiaco reestructurado que vería eventualmente iniciada su reformación. Para otros como yo, la DOE fue el lugar donde podías encontrar a los más dispuestos, cojonudos e inteligentes policías del país. El hogar del bravío, y donde no existía el miedo a la delincuencia. Para los que piensan como yo, su eliminación abrió las puertas de un infierno criminal que, hoy, a duras penas, la policía puede combatir. No tengo dudas de que esos aires de cambio que iniciaron con la eliminación de la DOE, se convirtieron en un huracán que reformaría toda la Policía de Puerto Rico.

CAMBIAR SIN CAMBIO

Aunque no todos sufrieron el cambio de la DOE, yo sí coño. Sentí que no habían sido capaces de valorar el sacrificio de mi juventud, el servicio y entrega al trabajo. De hecho, cuando "Moto Moto" (jefe de la DOE en su último suspiro) entró al sótano con la terrible noticia de la implosión y dispersión del personal a diferentes áreas de trabajo, tuve que contener el llanto cual velorio de un ser querido. Allí, luego de un escueto, pero acertado mensaje, Moto Moto dispuso de los miembros de la división. Algunos fueron enviados a Drogas y Narcóticos, otros al Cuerpo de Investigaciones Criminales (CIC).

Como ya saben, tengo "la flor en el culo", y fui enviado al CIC, a una unidad que, aunque ya existía, nadie lo sabía, Arrestos y Allanamientos (AA). Frío, como fue Moto Moto, ordenó el desalojo del sótano y, como el Chavo del Ocho en la vecindad, marchamos con los motetes al hombro. Sin embargo, mi suerte fue compartida por Chucky, Gato, Marshmallow y Froggy. Nos tomó poco tiempo entender que, como hijos del peligro que éramos, el cambio era progresivo y que el policía que cada uno era controlaba su destino.

Me explico, a finales de diciembre de 2008, estaba con Gato tratando de localizar a un individuo con orden de arresto en el pueblo de Aibonito. Mientras estábamos en el barrio Llanos, nos alertaron por radio sobre una agresión con arma de fuego en el barrio Caonillas. Describieron al agresor como Cookie, un individuo conocido entre las fuerzas policiales por su extensa actividad delictiva. Inmediatamente, le dije a Gato:

-Este va a salir al Llano para adentrarse en San Luis (vivía allí).

Gato condujo el vehículo patrulla hacia la intersección de la carretera de Caonillas al Llano, y de repente, salió a toda velocidad el vehículo de Cookie. Sí, allí estábamos, los que se supone que

UN POLICIADO

ahora tenían un trabajo más sencillo, pues en AA, la orden de arresto estaba expedida y solo había que completar el trámite ante el juez. Cookie, se detuvo repentinamente entre una escuela pública y un parque de pelota y como atleta de campo traviesa corrió por el parque en escapada. Por supuesto, di un salto y sin que Gato detuviese la patrulla, despegué en vuelo para alcanzarlo. Durante el seguimiento, me di cuenta de que Cookie llevaba un revólver en la mano. Le grité insistentemente a Cookie para que lo soltara, a Gato para que supiera del revolver y a Dios para que Cookie no disparara. Pues, todo lo contrario, Cookie no soltó el revólver, Gato no me escuchó y al brincar la verja del jardín derecho del parque, Cookie me disparó. Todavía tengo dudas sobre las posibilidades de que ese disparo fuese fallido, recuerdo el olor raro del momento y la sensación de que estaba herido de muerte. La realidad es que estuvo a pocos pies de distancia y cuando por instinto caí al suelo, pensé lo peor. Sin embargo,

UN POLICIADO

falló, y así como caí, me levanté. Mi respuesta fue tal, que Gato tuvo que proveer abastecimiento a través de la verja del parque para cumplir mi demanda. Cookie se internó momentáneamente en el monte y salió para entregarse minutos más tarde (obviamente sin arma).

Ese día me quedó claro que, al menos hasta ese momento, lo ocurrido conmigo en el trabajo fue cambiar sin cambio. Ahora bien, en AA comenzaron a suceder cosas que me obligarían a cambiar, como el caso del agente Sacaculum.

83

SACACULUM

El 1 de junio de 2009, Moto Moto me hizo entrega de una orden de arresto. De la orden se desprendía toda la información necesaria para la identificación del individuo. Entiéndase nombre completo, seguro social, fecha de nacimiento, dirección residencial y lugar de nacimiento. La juez que emitió el mandato, expuso:

ORDEN DE ARRESTO

(Para diligenciar de día o de noche)

Al Señor Comandante de la Policía y/o Cualquier Agente Autorizado

Por la presente se ordena que usted arreste inmediatamente a **FULANO DECENTE DEMANDA** trayéndolo sin dilación innecesaria a mi presencia en **TRIBUNAL PRIMERA INSTANCIA AIBONITO** o ante cualquier Juez disponible más cercano, para que responda al (los) cargo (s) de **INF. ART 404, SUSTANCIAS CONTROLADAS** indicándole que he fijado una **fianza de $60,000.00** para que pueda permanecer en libertad provisional, sin que falte usted al debido cumplimiento de este mandamiento.

UN POLICIADO

Ahora bien, la radicación de cargos contra Fulano estuvo a cargo del agente Sacaculum. Sacaculum, trabajaba en la División de Drogas y Narcóticos de Aibonito y con saber Dios qué técnicas laborales obtuvo la información de quién estaba seguro fue la persona que vio delinquiendo. Así, obtuvo la orden de arresto, que yo estaba en obligación de diligenciar.

El mismo día 1 de junio, a eso del mediodía, visité la residencia de Fulano para hacer el acercamiento inicial. En la residencia fui recibido por una joven que me manifestó ser familiar de Fulano, y esta manifestó que él no se encontraba en la residencia. Antes de abandonar el lugar, le dejé el número de teléfono a la joven para que se lo hiciese accesible a Fulano, indicándole que este tenía una orden de arresto.

Pasadas unas dos horas recibí una llamada desde el cuartel de la policía de Barranquitas y me comunicaron que Fulano se encontraba allí. Al

UN POLICIADO

llegar al cuartel, Fulano me cuestionó sobre la orden de arresto:

-¿Cómo que yo tengo una orden de arresto?

-¿Es usted, Fulano Decente Demanda?, cuestioné yo.

-Si soy yo oficial, me respondió.

Entonces, para completar el proceso de identificación, indagué:

-¿Este es tu número de seguro social? Y le mostré el número de seguro social, que tenía la orden de arresto.

-Si señor, ese es mi seguro social, me dijo.

-¿Naciste en Barranquitas, en esta fecha? Volví a mostrarle la información desde la orden de arresto.

-Si señor, volvió a responder.

-Pues Fulano, se emitió una orden de arresto en tu contra por violación a la Ley de Sustancias

Controladas, con una fianza de $60,000.00, argumenté.

- Eso no fui yo, esgrimió instantáneamente, Fulano.

Al notificarle su arresto, observé su reacción, noté sus gestos y percibí su intención de comentar, cuestionar y opinar sobre los hechos del caso. Le hice las advertencias de ley y le orienté sobre el proceso a seguir. Es importante señalar que **Fulano** me advirtió claramente que él no era la persona que había violado la ley, me estrujó a gritos que era **decente** y me adelantó que habría una **demanda**.

Hablando claro, nueve de cada diez personas que son arrestadas juegan al "ping-pong" con la culpa, alegan su inocencia y, como el gato con botas en la película de Shrek, vociferan "eso no es mío". Eso sí, Fulano parecía decente (deducción mía) y por aquello de verificar una vez más, le solicité que me mostrase su identificación.

UN POLICIADO

Ahí, visiblemente molesto, dijo:

-Es que no me está entendiendo oficial, yo sé que la información que está en esa orden de arresto es la mía. Pero lo que dice que yo hice no es verdad, eso fue el primo mío.

En esos momentos, la esposa de Fulano llegó hasta el cuartel. Le orienté sobre el proceso, y la señora estalló en rabia. La vi realizar varias llamadas telefónicas, y la escuché vociferar:

-Me le voy a quedar con los calzoncillos.

Continué el proceso, y habiendo arrestado a Fulano, me dirigí, según me ordenó la Juez, al Tribunal de Aibonito. En el camino recibí una llamada telefónica de Sacaculum que, sin mediar otra palabra, me dijo:

-Feo, ese no es el tipo.

-¿Cómo es eso posible?, le cuestioné.

UN POLICIADO

-Ese que tienes arrestado, yo lo conozco y no es el que yo le sometí, me dijo.

No podía creer lo que Sacaculum me estaba diciendo, me entró una calentura de esas en las que uno siente estar poseído por especies malignas y le respondí:

-Espera, espera, el que tengo arrestado es el que tú le sometiste. ¡Ahhh! Si denunciaste a la persona equivocada, debes aclarárselo a la juez en el tribunal.

Cuando llegué al tribunal, comenzó la obra de teatro. Sacaculum, haciendo alarde de su apellido, llegó en compañía de la esposa de Fulano. Para sumar a más actores, la fiscal que ordenó radicar los cargos por los que se emitió la dichosa orden de arresto también estaba allí. Hubo una conversación entre la esposa, la fiscal y Sacaculum. Al terminar la reunión, la fiscal me explicó la "burrada" de Sacaculum, me aclaró que el verdadero responsable de los hechos imputados en la denuncia que llevó a la orden de arresto era una persona con el mismo nombre, pero apellidos: **Nodecente Nodemanda**. Me pidió gentilmente soltar a Fulano mientras esperábamos, por la atención de un juez. Así lo hice, y sentado en la sala de espera junto a Fulano, dimos paso al proceso restante. Fulano estaba tranquilo y sosegado, creo que el hombre tenía claro eso de que "el que no tiene hechas…". Caso distinto con la esposa, aquella damisela estaba "prendía en candela". En sus vociferaciones de altos decibeles, descubrí sus grandes destrezas en el vocablo pueblerino. Advine en conocimiento de que ellos conocían de toda la vida a Sacaculum, y que las amenazas de quedarse con los calzoncillos eran hacia mí. Me dio tanta rabia ver a Sacaculum sacando el "culum". La esposa de Fulano le decía:

-Un error lo comete cualquiera, pero él está empeñado en llevarlo donde el juez.

Sacaculum, le decía:

UN POLICIADO

- Cógelo con calma, que eso se resuelve ahora.

Yo entendí que Sacaculum estaba "cagao". Sabía que su investigación, procesamiento y radicación de cargos contra Fulano había sido un desliz de intelectualidad.

Salió el alguacil, llamó el caso y entró a sala el séquito de rescate de Fulano (la esposa se quedó afuera). La idea de todos era dar fin a la osadía. Irónicamente, iniciando el proceso, el juez preguntó a Fulano:

-¿Es usted, Fulano Decente Demanda?

-Si su señoría, respondió.

El juez comenzó a decirle a Fulano las razones por las que había sido arrestado, y a darle lectura a la orden de arresto. En una interrupción fugaz, la fiscal argumentó:

-Su Señoría, el Ministerio Público, está presente para hacerle una aclaración al tribunal. En este caso, hubo un error en la denuncia con relación al imputado. El nombre del imputado no es Fulano Decente Demanda, sino Fulano Nodecente Nodemanda. Así lo certifica el agente Sacaculum aquí presente, que fue el que radicó las denuncias.

Entonces, el juez bajó un poco sus anteojos al mirar a Fulano presente y cuestionó:

-¿Pero, y este Seguro Social? ¿Y esta dirección? ¿Y la fecha de nacimiento? ¿Todo está mal?

-También son míos, dijo Fulano.

La fiscal, con la cara más roja que la sede de Pava en Puerta de Tierra y viendo el revolú que se avecinaba, le dijo al juez:

-El ministerio público va a retirar las denuncias presentadas.

El juez ordenó que se dejase en libertad al Fulano presente, y el archivo de las denuncias radicadas.

Fuera de sala, escuché las fanfarreas de la esposa de Fulano, celebrando su victoria. Los vi abrazarse e incluso estrechar la mano de Sacaculum en agradecimiento por llegar a limpiar el nombre de Fulano. Al salir del Tribunal, la esposa de Fulano comentó:

-Prepárate, papito, que lo tuyo viene.

Aunque deseaba con todas mis fuerzas responder su comentario, continué mi camino. Yo entendía el malestar que generó mi intervención con ellos. También, a la salida, Sacaculum me pidió disculpas y, al menos yo, dejé ese asunto ahí.

Pero Fulano y su esposa no estaban conformes. Sepa que la demanda se anunció y mi nombre figuraba como figura abusadora de derechos civiles. Tal vez, la amistad de Sacaculum con Fulano y su esposa tuvo algún efecto en esa decisión. Lo cierto es que, aunque sufrí la investigación administrativa que tuve que enfrentar por tal proposición de demanda, la esposa de Fulano tuvo que conformarse con los calzoncillos de su esposo. Casos como ese, me empujaron a sacar las uñas del conocimiento y abrir los ojos en beneficio propio. Ese proceso de ir abriendo los ojos, me tomó algunos añitos. En el transcurso tuve el caso del radio que medio algo de norte.

EL RADIO

Desde el año 2010 hasta el 2016, viví momentos transitorios en todos los aspectos de mi vida. Sentimentalmente, académicamente y laboralmente, todo estaba cambiando. Las cuestiones sentimentales tocan una fibra que no me ayuda del todo y que, por tanto, obviaré. Pero académicamente empecé a sentir que mi preparación podía y debía ser mejor para enfrentar a abogados como el de Chifle, a algunos fiscales con los que hablaba y me daba cuenta de que sabían menos que yo, e incluso a los ciudadanos que cada vez más se aferraban al grito de "yo conozco mis derechos", aunque en la mayoría de las circunstancias no los conocían. Por eso, es importante tener en cuenta el contexto de la época, ya que a lo mencionado hay que añadir que la Policía de Puerto Rico entró en un proceso de reforma que llevó a todos a pensar y actuar como si ya nada fuera igual.

UN POLICIADO

De hecho, en 2013, mientras arrestaba a un individuo con una orden de arresto, tuve que utilizar todas las habilidades físicas que había desarrollado en mi vida en un solo instante. Pero esta historia no trata sobre la paliza que recibí allí, sino sobre los resultados del incidente. Al terminar el doloroso arresto y al llegar a la comandancia, donde tendría que hacer los trámites de rigor, me di cuenta de que había perdido el viejo radio portátil que llevaba en mi chaleco. Informé de la pérdida de inmediato a mi supervisor, quien me instruyó a regresar al lugar en el monte donde lo perdí para intentar recuperarlo. Así lo hice y lamentablemente nunca lo encontré. Sin embargo, realicé gestiones para pagar el radio, que resultó ser el más caro de la historia, y mediante un descuento nominal lo pagué con intereses de una financiera local. Meses más tarde, un investigador interno me citó a declarar sobre el asunto y me anunciaron una suspensión de empleo y sueldo por la pérdida.

UN POLICIADO

Estaba sorprendido, indignado y molesto. No entendía ser suspendido por algo que ya había pagado. La carta que proponía la suspensión incluía instrucciones para solicitar una audiencia informal en la que podría presentar pruebas y argumentar mi posición. Ni corto ni perezoso, llamé a la corporación policial a la que pertenecía para solicitar los servicios de un abogado. Cuando logré entrevistar con uno, me di cuenta de que no tenía evidencia nueva. El abogado, luego de reunirse conmigo y escuchar mis argumentos, me comentó:

-Creo que tienes razón en tus argumentaciones, pero esa razón no te ayuda con la falta que te imputan.

-¿Cómo es eso?, cuestioné.

-Son las circunstancias en las que se perdió ese radio, las que necesitas establecer para que se den cuenta de que cometen un error al suspenderte.

UN POLICIADO

Olvídate de lo justo, convéncelo de que ya pagaste por eso.

Ahí me enteré de que el abogado no iría conmigo a la vista, y que sería yo solito quien abogase por mis habichuelas.

Sin embargo, ese abogado con tan poco prendió una bombilla en mi cabeza que sería luz de futuro. Eventualmente, argumenté mi caso frente a un oficial examinador que pareció entender mis puntos, recibí la carta orientándome y la suspensión de empleo y sueldo quedó sin efecto. Pero note usted que este fue el segundo abogado que, tal y como hacía mi abuela en tiempos de infancia, me imbuyó la necesidad de agilización de neuronas. En algún momento me llegaría la vencida.

LA 4TA ES LA VENCIDA

Tengo la convicción de que las personas esperan por impulsos, no importa cuáles sean, para avanzar. A veces los impulsos son internos, otros vienen de las circunstancias. De hecho, tuve un impulso para hacer algo nuevo, auspiciado por el abogado con apellido real. Nunca olvidaré su sonrisa al salir de sala, caminando junto a su ensillado cliente. Luego, Sacaculum con sus trucos laborales, me dio un empujoncito. Ni se diga del abogado de la corporación policial con el caso del radio. Ese abogado de la corporación, muy discretamente, me ayudó a reconocer la verdad que necesitaba proyectar para salir airoso. Verdad que no era la que yo entendía, exculpatoria, pero que, según el proceso, era necesaria. Entonces, aunque para muchos "la tercera es la vencida", yo necesitaba más.

Una tarde del mes de septiembre de 2015, recibí la llamada de un fiscal. Me estaba citando a comparecer ante él relacionado con el arresto de JMR, quien fuese uno de los prófugos más buscados del área. Tengo que admitir que me sentó rareza la llamada y citación, pues había diligenciado la orden de arresto de JMR sin problema alguno e incluso se había entregado por medio de sus abogados en un tribunal del área norte de Puerto Rico. Al llegar donde el Fiscal, sin mediar saludo alguno, me cuestionó:

-¿Usted le hizo las advertencias a JMR?

-No, respondí sin pensarlo mucho.

-¡Increíble!, exclamó el fiscal.

El resto de la conversación fue un choque de ideas y entendimientos que no llegaron a una conclusión amistosa. Mientras le argumentaba al fiscal sobre lo que entendía sobre las "Advertencias de Miranda" y las razones por las cuales no realicé las mismas, este llegó a decirme en varias ocasiones que no importaban las circunstancias en que interviniese con una persona, tenía que hacer las advertencias.

Intenté explicarle que, al llegar al tribunal, ya JMR se encontraba allí, esperando junto a su abogado. Que inmediatamente pasamos a la sala de investigaciones, donde el mismo juez le hizo las advertencias. Que el abogado dio por hechas las advertencias y se me entregó un auto de prisión para su ingreso. Le aseguré que en ningún momento yo cuestioné o interrogué a JMR. El fiscal estaba furioso y me comentó que la defensa de JMR había hecho una serie de alegaciones en el caso de asesinato sobre violaciones a los derechos del acusado por la falta de las advertencias cuando fue arrestado. Por más que intenté persuadir su enojo, no funcionó, y terminamos aquella reunión como "rosario de la aurora".

En el transcurso de aquella garata, descubrí que el fiscal no tenía idea de cuáles eran las circunstancias en las que un agente del orden público está obligado a realizar las advertencias de ley. Se mostró inseguro, con miedo y falto de conocimiento. Su posición era que no importaban las circunstancias, había que hacerlas y punto. Sin embargo, nada pasó en el caso de JMR que me llevase a dar mis explicaciones ante el juez. JMR salió culpable de los delitos que se le imputaban, y la argumentación sobre las advertencias no fue otra cosa que otra "cascara de guineo" similar a la de la prótesis del Chifle, pero con resultado distinto.

Yo sentí desdén al saber que abogados con pasión y arrogancia, como el de apellido real, vacilan con aquellos que carecen de claridad en sus prerrogativas. Estas carencias obligan a los agentes de la policía que presencian el delito a tener que grabar, ya que su declaración no es suficiente. Que no importan las circunstancias en que interactúe con un ciudadano, el carente te pide hacerle advertencias, aun sin proceso adversativo, sin arrestarle o cuestionarle de forma en que se pueda incriminar. Pensé que si ese con tantos miedos, inseguridades y vacíos de conocimiento era el abogado con el que el Estado contraataca a los de estrategias cuestionables, cualquier hijo de La Curva podría hacerlo. Para eso decidí buscar opciones educativas, retomar mi preparación académica y, como niño soñando con dulce, se me ocurrió estudiar derecho. Esa idea, llegó acompañada de un mito intimidante.

EL MITO

A finales del 2015, me entrevisté con un profesor universitario que había sido fiscal en Aibonito. En la conversación aproveché para colarle algunas preguntas sobre los trámites para entrar a la escuela de derecho, los requisitos y la experiencia de estudiar para ser abogado. Sin embargo, el licenciado recordaba poco sobre el trámite de ingreso y desconocía los requisitos actualizados para entrar. Además, cuando habló sobre la experiencia de estudiar derecho, me alertó sobre la complejidad y la dedicación que se requiere para completarla. También me explicó el compromiso económico que conlleva estudiar derecho. Hizo una narración maravillosa en la que los jueces y abogados eran descritos como dioses. También habló sobre los profesores de derecho, a quienes personificó como héroes o personajes fantásticos. Eso sí, me di cuenta de que, a pesar de que su historia estaba situada en un tiempo bastante remoto, sus narraciones explicaban o daban sentido a esos hechos o fenómenos contados por muchas otras personas sobre lo frío, duro y tumultuoso que es convertirse en abogado.

El mito fue tal que salí de la entrevista con serias dudas sobre mis capacidades económicas e intelectuales para convertirme en abogado. Cabizbajo llevé mis lamentos a la registradora de la Universidad Interamericana de Barranquitas, una mujer de carácter fuerte que no muchos entendían, pero que durante muchos años fue mi aliada y luchó conmigo para que pudiera terminar mi bachillerato. La registradora desmitificó el cuento, pero dejándome claro que no sería fácil. Ella misma me proporcionó los requisitos para estudiar derecho, me orientó sobre la compleja forma en que los menos privilegiados de este país logran estudiar un posgrado y recuperó la motivación que había perdido en la entrevista anterior. Así que, con la esperanza que me brindó la registradora y el mito del profesor exfiscal en

UN POLICIADO

mente, decidí comenzar el proceso de admisión a la escuela de derecho.

LAS MALLORCAS Y EL LSAT

Para poder completar la solicitud de admisión a una escuela de derecho en Puerto Rico, era requisito tomar el examen estandarizado de admisión (LSAT) y el examen de admisión a estudios de posgrado (EXADEP). Cuando eres adulto, como en mi caso en el 2015 a los treinta y seis años, no tienes tiempo que perder. Pero tampoco tenía el dinero para pagar los cargos de admisión, las tarifas de los exámenes de admisión y otros tantos gastos del proceso. Como nunca he sido de los que se raja, compré doscientas mallorcas para revenderlas. Las adquirí en una panadería famosa con un nombre alusivo a la comunidad autónoma de Cataluña, en España, ubicada en San Juan (Santurce). Recibí la ayuda de mis compañeros policías para la reventa. Sabrán que siempre encontré a alguien que, luego de escuchar las motivaciones de la venta, mostró incredulidad sobre mis capacidades y aspiraciones de estudio. Incluso hubo quienes argumentaron que comprarían las mallorcas porque eran buenas, pero lo de que yo estudiaría derecho era una buena broma. Y así, en dos días, había dispuesto de las mallorcas y logrado el objetivo monetario para sufragar los gastos de admisión y del LSAT.

El LSAT no importa cómo se mire o se analice, es difícil. Además, no hay una puntuación de aprobado o reprobado para ese temido examen. Las escuelas de derecho, en su proceso de evaluación de aspirantes, tienen una puntuación necesaria y/o promedio para poder admitir a un estudiante. Tuve que tomar ese examen en inglés con poco tiempo de estudio y la admisión para enero de 2016, a expensas del resultado. Salí del LSAT con la convicción de que sería policía el resto de mis días. Sin embargo, en enero de 2016 fui admitido a la escuela de derecho. Al llegar, me adentré en un mundo en el que varias veces tuve que recordarles a mis nuevos compañeros de dónde veníamos para llegar allí.

¿Y TU AGÜELA, AONDE EJTÁ?

Como toda nueva experiencia académica, hay un grado de incertidumbre y ansiedad al comenzar. Pero jamás imaginé lo que me tocaría vivir por esos cuatro años. Es importante mencionar que tuve la oportunidad de experimentar la atmósfera educativa de dos de las tres escuelas de derecho de Puerto Rico. Por razones muy personales, pasé de una escuela de derecho a otra para poder terminar sin perder a mi familia, mi trabajo y mis ganas de seguir. Pero acá, entre nosotros, las dos escuelas tienen la misma atmósfera, dificultad y mecánica. Por esa razón, a partir de este momento me referiré a la escuela de derecho en singular, independientemente de en cuál de ellas ocurrieron los hechos.

Los primeros meses en la escuela de derecho fueron gloriosos. Conocí a estudiantes que de manera singular caminaban por el recinto académico sin tocar el suelo. Era como si

UN POLICIADO

gravitasen al desplazarse por los pasillos de mármol. Tuve la impresión de que los profesores recitaban un monólogo preparado para cada día de clases. Entendí que la comprensión y aplicación del material académico era estrictamente mi responsabilidad. Descubrí que había cerebros con torso, brazos y piernas, y a su vez, torsos, brazos y piernas sin cerebro. Pero al terminar el primer semestre, ya estaba clarito que todos en ese mundo teníamos a "Siña Tatá" escondida en la cocina. Por eso, ayudé a quien pude, supliqué ayuda a quien consideré prudente hacerlo y, cuando alguien olvidó nuestro proceder, le cuestioné:

-¿Y tu agüela, aonde ejtá?

Ciertamente, fue un proceso de adaptación complejo para mí. A eso hay que añadir la trágica historia del profesor de derecho constitucional y el caso de MARBURY vs. MADISON.

MARBURY VS. MADISON

Haber trabajado como policía durante tantos años me hizo pensar que estudiar derecho podría ser menos problemático para mí. Pues saben que, me equivoqué una vez más. De hecho, el golpe de realidad que me obligó a despertar de tal ilusión llegó en el primer semestre. Les invito a que, mientras leen, imaginen la travesía que me tocó vivir para que puedan entender el "dembow".

En el vaivén mental que atravesaba durante mi adaptación a la escuela, me tocó estudiar Derecho Constitucional. La clase era a las 8:00 p.m. y esperar al profesor era toda una experiencia. No llegaba nunca temprano, pero tampoco se ausentaba. Era de esos abogados que motivan a otros a caminar en el aire, como algunos de los que mencioné antes (sin tocar el suelo). Hasta los demás profesores hacían reverencia a esta eminencia. Sin embargo, cuando entraba al salón de clases era como si se perdiera en su mundo de conocimientos. Era tanto lo que se perdía que nunca logré entenderlo. De hecho, el profesor proyectaba elegancia, pero destellaba arrogancia, algo así.

El primer caso que discutió en clase, o mejor dicho, murmulló, fue MARBURY VS. MADISON. Miren, no pude entender los hechos del caso, ni el desarrollo y mucho menos los detalles importantes gracias al "profesorazo". Lo peor es que en la escuela se rumoreaba que era el mejor en esa disciplina. Fue traumatizante, tanto así que algunos fueron reprobados y abandonaron la clase. Otros, como yo, dedicamos el semestre a desarrollar una estrategia para aprobar y nos olvidamos de aprender algo de Derecho Constitucional. Allí estaba yo, esperando a que terminara el monólogo enredado del profesor para ir a la biblioteca a conocer a MALBURY y entender a MADISON. A eso hay que añadir la espeluznante rutina diaria que viviría en los próximos años. De hecho, les voy a resumir esos cuatro años en lo que para mí fue un purgatorio.

EL PURGATORIO

Analizando mis cuatro años de estudio de derecho, no encontré una manera más precisa de hiperbolizar la experiencia que llamarla "el purgatorio". Me convencí de que allí mi alma estaba en un estado transitorio de purificación por mis deudas con la vida. Nada fue fácil, y todo tenía un grado de complejidad que escalaba con cada curso. Para poder materializar la hipérbole del purgatorio, me explico.

Yo estuve trabajando en Arrestos y Allanamientos todos y cada uno de los días que estudié derecho. Pasé cuatro años trabajando en turnos que comenzaban temprano en la mañana, con la esperanza de terminar antes de mis clases nocturnas. En el proceso, diligencié órdenes de arresto e ingresé personas a la cárcel mientras tenía en mi mente que discutiría en clase casos como el de *Vigoreaux vs. Quizno's Sub,Inc*. Además, realicé vigilancias para localizar a los más buscados, mientras se acercaba el examen parcial de Derechos Reales. ¡Ah! Incluso tuve que custodiar a detenidos durante toda la noche en el hospital, mientras descubría que para ser un buen litigante en los tribunales de este país hay que convertirse en un experto en las reglas de evidencia.

Fueron tiempos de trabajo y estudio constante, viajando treinta minutos para ganarme el pan por la mañana y una hora con quince minutos para instruir mi intelecto por la tarde. Salía de casa al amanecer y regresaba por la noche. Aunque usted, en un ejercicio discrecional, pueda imaginarse lo difícil que es el proceso. Para mí, el purgatorio se resume en la siguiente cronología:

El 1 de marzo de 2017, recibí un mensaje de El Bello (mi supervisor) en AA. En el mensaje, me instruyó a estar a las 10:00 p.m. en el Centro Médico (San Juan). La orden era para dar custodia a un arrestado por violencia doméstica, recluido en la institución hospitalaria. El Bello, quien dedicó sus años supervisándome a lidiar con mis defectos laborales, salvando mi pellejo y ayudándome, se vio obligado a enviarme a ese servicio, ya que se quedó sin opciones. Para esa noche, el resto de mis compañeros de la división ya habían pasado la vigilia hospitalaria. Así fue, estuve toda la noche en vigilia y se suponía que un agente de la División de Violencia Doméstica sería mi relevo por la mañana. Sin embargo, el médico del hospital cambió los planes. Llegó a las 6:00 a.m. con el alta en la mano, y media hora después yo estaba de camino a Aibonito con el muchachito. No piensen que al llegar a Aibonito me fui a dormir, pues eso no funcionaba así. Los compañeros de la División de Violencia Doméstica aprovecharon el alta de la persona arrestada para adelantar los trámites en la fiscalía y presentar los cargos ante el tribunal. Mientras tanto, mis compañeros de AA ya estaban ocupados con sus tareas diarias, así que tuve que vigilar al arrestado un poco más de lo previsto. Dieron las 2:00 p.m.

cuando me ordenaron llevar al arrestado al tribunal. El proceso se llevó a cabo con más rapidez allí, y a las 3:00 p.m. ya había un auto de prisión listo para llevarlo a la cárcel. Entonces, tuvimos que continuar con el proceso de ingreso, y yo estaba como "carne de cañón". Ahora, un agente de la División de Violencia Doméstica sería mi acompañante para ingresar. El reloj implacablemente se acercaba al horario de clases. Ese día, Derecho Administrativo me esperaba a las 6:00 p.m. y la "LPAU" no tenía piedad con mis desacuerdos laborales.

Este tipo de circunstancias se dieron de manera frecuente. En el trabajo, muchas personas sirvieron de apoyo moral, como Mayrita, Veguita y el grupo de la esquina de la Unidad de Delitos Sexuales. Pero es importante que sepan que compañeros como El Bello, Gi, Gato, Chucky y Barney no solo me apoyaron moralmente, también hicieron turnos por mí, extendieron sus turnos de

UN POLICIADO

trabajo para liberarme y hasta realizaron tareas a solas en mi ausencia.

Ahora sí, después de resumir mi constante diario de cuatro años de estudio de la profesión legal, estoy seguro de que muchos de ustedes también exagerarían la experiencia. Sin embargo, para que lo que les narro tenga coherencia, algunas de mis historias están obligadas a salir del interior de la escuela de derecho.

¡WANDY SANTÍSIMA!

Con el programa de clases en la escuela de derecho, estaba navegando en aguas turbias. Derecho Constitucional y Derechos Reales encabezaron los cursos de primer semestre, y mis ilusiones de estar en buena posición por mi experiencia laboral estaban pidiendo auxilio. Y es que ya les conté sobre el "profesorazo" en Constitucional, y la verdad es que nunca me enteré en la DOE de la usucapión y las servidumbres. En fin, cuando vi que el curso de Procedimiento Criminal estaba en secuencia próxima, afilé mis colmillos para destacar las ventajas que erróneamente creí tener.

La mayoría de los profesores utilizan el primer día de clases para establecer algún tipo de "rapport" con sus estudiantes. Ciertamente, ese proceso era muy corto y en algunas clases, más que en otras, como con el "profesorazo", ninguno. Y no los culpo, el material a discutir en esas clases de derecho es tan extenso que si dedican una clase completa a esos "folclores" de empatía, solo estarían perdiendo tiempo de discusión. Sin embargo, al inicio de la clase de Procedimiento Criminal, la profesora Wandy dedicó algunos minutos a la presentación y contacto entre ella y los estudiantes. Por esa dedicación, se enteró de que yo era policía, y me hizo la pregunta de "los mil chavitos".

-¿Dónde trabaja usted?

Mi orgullo policial era tan grande que no pude limitar mi respuesta a decir que en esos momentos estaba trabajando para el Cuerpo de Investigación Criminal. Me atreví a ampliar mi respuesta y decir con orgullo que fui parte de la DOE durante muchos años. Wandy me miró fijamente por varios segundos, sonrió sarcásticamente y dio gracias porque la DOE ya no existía.

-¡Se cagó en mi madre! (Apreciación mía, no que lo hiciera verbalmente).

UN POLICIADO

Desde el primer día de clases, la miré con molestia, busqué fallos en su enseñanza y evité interactuar con ella. No podía entender su alegría por la desaparición de la división a la que dediqué mi pasión, devoción y esfuerzo.

A pesar de eso, hoy reconozco lo que perdí, ya que Wandy es una abogada penalista reconocida, defensora de la justicia social y los derechos ciudadanos, de la que podría haber aprendido más si me hubiese acercado a ella. Esto no significa que la perdoné, pero es importante reconocer que sus técnicas de enseñanza me ayudaron a "separar la paja del grano". De hecho, todavía conservo el diagrama procesal que nos facilitó para el proceso penal en casos menos graves y graves. Es toda una joya de claridad procesal, en la que puedes ir directamente a la etapa en que se encuentra el caso y saber qué procede sin problemas.

UN POLICIADO

La clase con Wandy fue un éxito. Aprendí y entendí que, como policía, estaba lejos de hacer las cosas correctamente. Me sinceré ante el espejo para reconocer mi falta de conocimiento sobre los motivos fundados, el proceso penal y la interacción con la ciudadanía. Descubrí que, como un funcionario del Estado, el policía está en una posición de poder y que el ejercicio de ese poder está estrictamente vinculado a los derechos de las personas con las que interactúa. Lo que aprendí me llevó a reflexionar y aceptar el proceso de reforma que la policía está atravesando. En fin, para mí la verdadera escuela de derecho comenzó con ¡WANDY SANTÍSIMA!, y su sarcasmo, mentor de mi progenie.

EL DIABLO

A diferencia de las implicaciones de Wandy en mi experiencia académica, el profesor de la clase de evidencia ni siquiera merece ser mencionado en este trillado conglomerado de letras. Por eso me referiré a él como "El Diablo". Más del noventa por ciento de los estudiantes que tomaron el curso de Evidencia conmigo reprobaron. Del otro porcentaje, entre los que gracias a Dios estuve, nadie pudo alcanzar una B+. De hecho, rumores posteriores a mi experiencia académica con El Diablo aseguran que hubo grupos de cien por ciento de reprobados. Una vez más, en la escuela de derecho alardeaban de la capacidad, intelectualidad y pericia del profesor. Sin embargo, nosotros recibimos egocentrismo, falta de empatía, pérdida de tiempo y de dinero.

Al igual que con el Derecho Constitucional, tuve que aprender por mi cuenta. Debe saber que no se puede ser un buen abogado litigante sin dominar las reglas de la evidencia. Dominar estas reglas es esencial en la búsqueda de la verdad como objetivo de todo litigio. Por eso, los pocos libros que adquirí durante mis estudios fueron sobre esa materia. Pero El Diablo hizo la clase indescifrable, como un crucigrama de esos que solían tener los periódicos antiguos. El Diablo recitaba casos en los que el Tribunal Supremo ha discutido las reglas de evidencia. Al comparar mis notas con su discusión, descubrí cosas opuestas y me quedé con la incógnita sobre la interpretación jurisprudencial. Por eso, estoy seguro de que la mayoría se quedó en el suelo en los elementos evaluativos del curso. En los exámenes había que contestar lo que El Diablo interpretó y no lo que el caso decía explícitamente. La malicia premeditada de El Diablo fue tal que, en el examen final, los nombres de los personajes que protagonizaban las situaciones en las preguntas de selección múltiple eran los de los integrantes de la clase. Este desacierto creo ansiedades innecesarias al evaluar las preguntas. Fue traumatizante ver mi nombre como asesino en una de ellas. La interacción con El Diablo afectó mi rendimiento académico y expulsó a más de uno de la escuela de derecho.

Pero yo resolví mi situación con evidencia, tomando clases electivas sobre el tema, leyendo los libros que ya había adquirido, y volviendo a interpretar con mente clara los casos del Tribunal Supremo. En ese proceso de aprendizaje, dejé de odiar a los abogados que, siendo yo el testigo, me obligaban en el contrainterrogatorio a contestar sí o no. Reconocí la importancia de conservar y preservar la evidencia. Descubrí que lo que pensé que eran payaseadas de algunos abogados en sala (tribunal), eran parte de ese teatro necesario. Por último, me quedó claro que como policía había estado recopilando piezas para armar el rompecabezas de cada caso y ahora estaba estudiando para ser yo quien las pone en su lugar.

MARÍA, TERREMOTOS Y PANDEMIA

Si estudiar con todas las circunstancias narradas fue bueno, imagina el final de película que me trajeron María, los terremotos y la pandemia. Del 2017 al 2021, nuestro país se vio afectado por acontecimientos que obstaculizaron, impidieron e hicieron intrascendentes algunos de los logros más importantes de mi vida académica. El huracán María, devastador como fue, hizo que los cursos semestrales se fuesen al piso y, por lo menos, las prioridades se vieron obligadas a cambiar. Por ejemplo, primero tuve que enfocarme en la luz, el agua y la comida de mi familia. Segundo, mi trabajo en la policía se tornó insoportable, ya que me asignaron al pueblo de Comerio como refuerzo y allí trabajé turnos de doce horas que parecían eternos. Por último, estaban mis estudios. Aunque la escuela de derecho se mostró solidaria, no había mucho que se pudiese resolver en la situación en que nos encontrábamos. La situación fue tan difícil que cuando regresamos al salón de clases, tuve que quedarme en la biblioteca de la escuela para poder leer, imprimir y prepararme para el próximo día de clases, ya que en mi casa no tenía luz ni internet para esos asuntos.

Sin embargo, logramos terminar el semestre de manera positiva y encaminar nuevamente el objetivo. En eso preparé el camino para lo que pensé que sería el momento de tomar la reválida. Todo lo planeado estaba en marcha, estudié durante los veranos, nunca reprobé ni repetí un curso y mi promedio académico me permitió recibir algunas ayudas económicas. Por eso estaba seguro de que terminaría mis estudios para diciembre de 2019, y así fue. Sin embargo, las graduaciones en las universidades son al final de los términos, que van de enero a mayo, así que tenía que esperar hasta entonces para graduarme. Mientras tanto, tenía que tomar la reválida de derecho en marzo de 2020, que al fin y al cabo era la meta más importante.

UN POLICIADO

La naturaleza jugó su partida y en enero de 2020 comenzaron los temblores en la isla. Mi estrategia de estudio para la reválida se tambaleó con los terremotos. El pánico colectivo, debido a los constantes temblores, hizo muy difícil estudiar. Sin embargo, me había jurado que nada me detendría para realizar esa reválida, y a pesar de los constantes temblores, continué con mi preparación.

Y llegó marzo de 2020 y con el mes llegó la pandemia de Covid-19. La reválida de derecho general estaba programada para el 18 y 19 de marzo. Lamentablemente, el 12 de marzo, el Gobierno de Puerto Rico declaró Estado de Emergencia. Un día después, la honorable presidenta del Tribunal Supremo y la Junta Examinadora de Aspirantes al Ejercicio de la Abogacía y la Notaría, suspendieron la reválida.

-¡Se me cagaron en la madre! ¡Otra vez, coño!

UN POLICIADO

Antes de que usted opine, déjeme explicar esto. Viéndolo hoy, desde la tranquilidad de lo logrado y el paso del tiempo, concurro con la decisión tomada por estas personas en aquel momento. Dicho esto, quiero que sepan que el 13 de marzo de 2020 lloré, sufrí y maldije a quien consideré que me privó de mi oportunidad. Voy a explicarles para que entiendan mi tragedia. Como les narré anteriormente, había trazado un plan estratégico para tomar la reválida. Durante mucho tiempo, estudié para los exámenes semestrales hasta altas horas de la noche, para no tener que utilizar el tiempo libre acumulado en el trabajo. Padecí dolores en los riñones debido a unas "piedritas" que más de una vez me hicieron acariciar los aposentos hospitalarios. Aun así, conservé mis días, horas compensatorias y todo el tiempo de vacaciones para poder tomar lo necesario en preparación para la reválida. Por eso, al finalizar el semestre de agosto a diciembre de 2019, en coordinación con mis supervisores, comencé a agotar todos mis recursos acumulados para dedicarme por completo al estudio. Estuve en reclusión voluntaria durante noventa días. Durante este tiempo me perdí la Navidad, la despedida de año, el Día de Reyes, cumpleaños y otras fechas importantes. El plan original era culminar el lunes 23 de marzo de 2020. Para ese momento, habría agotado todos y cada uno de mis beneficios acumulados. Por eso, cuando la decisión de suspender la reválida llegó, me quedaban cinco días (no se incluyen los sábados y domingos). Imagínese el daño mental, la frustración y el enojo que tuve en esos momentos. El mismo 13 de marzo llamé al trabajo y me puse a disposición para comenzar a trabajar, solté los libros y me olvidé de la reválida.

Tuve que esperar hasta septiembre para poder tomar la reválida. Para entonces, mis ánimos habían sufrido un terrible traspié. Como no tenía muchos días que pudiese utilizar, guardé los que quedaban para la semana de la reválida.

UN POLICIADO

Volví al material de estudio en agosto y, por si fuera poco, me tocó enfrentarme a un nuevo formato de reválida. La Junta Examinadora de Aspirantes al Ejercicio de la Abogacía y la Notaría anunció que la reválida sería de un solo día. Por lo tanto, dedicaríamos la mañana a preguntas de selección múltiple y por la tarde "ANALICE, DISCUTA Y FUNDAMENTE".

ANALICE, DISCUTA Y FUNDAMENTE

Recuerdo que, cuando estaba estudiando derecho, escuché a muchos profesores intentar minimizar el fracaso en el examen de reválida para no desanimarnos. De hecho, algunos argumentaron que con el nivel de estudios alcanzado ya éramos abogados y que la reválida era solo para obtener el título de licenciado. Estos planteamientos distancian los términos y sutilmente pueden llegar a influir en quienes sucumben ante el sufrimiento. Pero no seamos ingenuos, ese tipo de argumentos solo son un consuelo empático y cursi para que quienes no aprueban la reválida no se sientan fracasados. La verdad es que, una vez iniciado el proceso, uno quiere terminarlo por completo. Además de que "carajos" me sirve ser abogado, y no licenciado. Es como tener el coche más lujoso e innovador del mundo, y no tener licencia de conducir.

UN POLICIADO

Entonces, llegó la reválida y no tengo palabras para describir el proceso, los nervios, la presión y la ansiedad que provoca tal "examencito". Aunque se ha reiterado que la reválida evalúa las competencias mínimas necesarias para ejercer como abogado, no va a encontrar a nadie que le diga que es sencilla. Por eso, el "PASS", que tampoco concebía porque lo sometían en inglés (en la reválida de septiembre 2023, llegó como "APROBADO"), es sin duda el momento cumbre de todo. ¡Ah! Para mí, eso de las competencias mínimas, ¡leña es!

Con el nuevo formato de reválida, las 92 preguntas de selección múltiple fueron cruelmente encajadas en una mañana infernal. El "cherry del pastel" fue representado por las cuatro preguntas tipo ensayo en la tarde. Y es ahí donde los que no conocen el proceso, se pierden. No se trata de hacer cuatro preguntas para ver lo que sabes y escribirlo. Cada pregunta tiene subdivisiones que la reproducen, como en el caso de "Gremlins" al entrar en contacto con el agua. Finalmente, se convierten en doce o trece requerimientos de escritura. De hecho, casi todas las materias de derecho se discuten en ellas. ¡Son once, doce o trece preguntas, caramba, no cuatro! Cada pregunta de esas requiere que el aspirante tenga conocimiento de la decisión tomada por el Tribunal Supremo de Puerto Rico en una situación similar. Agregue la sabiduría de abogados con experiencia, técnica y habilidades tras la elaboración de la pregunta. Por eso, las "competencias mínimas" deben incluir la capacidad de detectar dónde es que los abogados experimentados que hicieron la astuta pregunta quieren cogerte de "pen...bobo". Y no se olvide de la ley, el reglamento o el artículo del código aplicable, que debe escribirlo ahí también. Entonces, después de usted leer una situación de hechos de aproximadamente trescientas palabras, tendrá la dicha de su encuentro con la frase ANALICE, DISCUTA Y FUNDAMENTE.

UN POLICIADO

Ahora bien, tomé mi reválida en el Coca Cola Music Hall del Distrito T-Mobile en San Juan. Mi turno de entrada fue a las 8:00 a.m. Aunque muchos de mis compañeros hicieron reservaciones para hoteles y/o alojamientos cercanos al Centro de Convenciones de Puerto Rico. En mi caso, debido a cuestiones presupuestarias, ni siquiera consideré la posibilidad de quedarme. Sé que su intención era llegar temprano y evitar cualquier contratiempo en las carreteras del país. Llegar tarde o tener algún percance en el camino sería devastador en este día.

Yo salí de Coamo hacia San Juan lo más temprano que pude. Al llegar, encontré un estacionamiento que no tenía tarifas, aunque me tomó diez minutos de caminata. En el andar, me encomendé al Padre Todopoderoso y recité el Padre Nuestro más genuino de la historia. Llegué a tiempo y allí, con más medidas de seguridad que en la 501 de Bayamón, inició mi reválida.

UN POLICIADO

La primera parte se dio, según lo esperado. Ninguna de las preguntas fue sencilla. De hecho, en esas preguntas no se elige la respuesta correcta. Te encuentras en un escenario en el que más de una opción es correcta, y debes, como sabio aspirante, escoger "la mejor" de ellas. Ya en la tarde, entramos a segunda etapa. Al entrar, podía sentir la tensión en el frío recinto musical. Incluso sin haber comenzado, vi a personas levantarse y llorar de ansiedad. No puedo describir la totalidad de mis desbarajustes mentales al leer cada situación, pero sé que con detallar una basta para que entiendan el caos.

Antes de continuar, quiero que sepan que, cuando las preguntas de discusión de la reválida ordenan "ANALICE", realmente están diciendo que "vomite", si es que encuentra en su cerebro algo de conocimiento legal sustantivo sobre el tema. Cuando le dicen "DISCUTA", le están ordenando que al menos la materia que produjo sea aplicable con el revolú que le pusieron en la situación de hechos. Por último, cuando le dicen "FUNDAMENTE", le están pidiendo que explique cómo es que todo lo producido resuelve el problema que le plantearon en la situación de hechos.

Ahora bien, una de las preguntas trató temas de Derecho de Familia, Derecho Constitucional y Evidencia. Me enfrenté a la parte de Derecho Constitucional, como dirían por ahí "con los calzoncillos abajo". En resumen, el cuestionamiento se dirigía a analizar, discutir y fundamentar si un progenitor tiene derecho constitucional a la custodia de sus hijos. Recuerdo haber recordado con "cariño" singularizado al "profesorazo" y resignarme a que ese era el final de mi reválida. El reloj seguía avanzando, un silencio sepulcral reinaba, y yo esperaba que algo saliera de mi cerebro como si fuera una pitocina del cielo. Yo sabía que el derecho a criar, cuidar y custodiar a los menores está protegido constitucionalmente. Pero reproducir los artículos constitucionales y la infinita gama de casos resueltos por el Tribunal Supremo sobre esos asuntos, es otra cosa. Por eso, fui dejando que mi lápiz descargara lo que sin coherencia mi mente le dictó. Para colmo, terminé concluyendo que NO EXISTÍA TAL DERECHO CONSTITUCIONAL.

Sales de allí, convencido de que la reválida es un suplicio. Peor aún, te marchas sin saber el resultado y con el previo conocimiento de que se tardarán ridículamente en dártelo. Recuerdo haber pensado que todos los involucrados en el proceso se ponen de acuerdo para joderte. Para mí, es como si fuera un acuerdo demoníaco que intenta hacerte perder la paciencia, la motivación y la esperanza. Pero hay más, deja que cuente lo que sucede una vez llegan los resultados y se acerca la juramentación.

LOS RESULTADOS Y LA JURAMENTACION

El 24 de noviembre de 2020, 68 días después del examen, llegaron los resultados. Un correo electrónico de la Junta Examinadora de Aspirantes al Ejercicio de la Abogacía y Notaría notificó formalmente. Enviaron una lista en la que aparecen los últimos seis números del seguro social de cada uno de los aspirantes y justo al lado PASS o FAIL. Una vez más, el formato es demoledor, ya que mientras buscas, te das cuenta de que la palabra FAIL opaca de manera sustancial el PASS. De hecho, solo el 32.7% pasó esa reválida. Fue tomada por 630 personas esperanzadas, de las cuales solo 206 obtuvieron el PASS (ese fue el anuncio oficial).

Sin embargo, ver los resultados fue un alivio para mí. Mi esposa corrió emocionada a abrazarme y entre lágrimas y júbilo celebramos el momento. Tenía que llorar, carajo, sentí que me quité un peso gigantesco de encima. Me sentí como cuando los

UN POLICIADO

Reyes Magos me trajeron el regalo que deseaba con todo mi corazón. Los mensajes de texto y llamadas de felicitación llenaron ese día de absoluto gozo.

No obstante, para ser abogado (licenciado) en este país, literalmente tienes que joderte. Y es que olvidé decirles que la reválida no es gratis, de hecho, es costosa. O sea, cuanto más tiempo se tarde en pasarla, más dinero habrá que gastar. Además, después de obtener el PASS, comienza otro proceso de investigación, validación y quién sabe qué más sobre tu conducta social. Sí, no sirve de nada tu grado académico y el PASS si no completas satisfactoriamente esa investigación. De hecho, hasta publican un edicto en los periódicos del país con tu nombre para que aquel que tenga alguna objeción con tu nombramiento a la profesión legal se desahogue. En resumen, necesitas cumplir requisitos estrictos para ingresar a estudiar derecho. Debes cumplir requisitos aún más estrictos para poder tomar el examen de reválida. Y unos pocos requisitos adicionales para tu juramentación.

Pues lo hice, y superé los "tres millones" de requisitos. Pero el Covid-19 volvió a atacar y no tuve una ceremonia presencial. Pero eso no fue de mucha importancia, al menos para mí. Estaba consciente de los desafíos de la pandemia y para mí, era mejor juramentar "de lejitos" que no juramentar. Además, lo importante era completar el proceso antes de que a alguien con suficiente poder se le ocurriese cancelarlo todo y esperar a que la pandemia terminara.

De esa manera, el 6 de febrero de 2021, juramenté. Como les dije, no hubo apretón de manos y mucho menos fotos con los jueces del Tribunal Supremo. El proceso puede resumirse en la entrada, toma de foto oficial, registro de firma, obtención de "RUA", entrega de certificado y "adiós pajarito". Estuve dentro de la sede del Tribunal Supremo de Puerto Rico durante 15 minutos. Eso sí, para darle formalidad al asunto, por primera vez, el Tribunal Supremo de Puerto Rico convocó una sesión especial virtual. Dicha sesión tuvo como objetivo nuestra ceremonia de juramentación.

Terminada la juramentación, toco volver a la realidad. Allí estaba mi puesto en la policía, esperándome sin cambio alguno. Mi licenciatura no me trajo varita mágica, aumento de sueldo o comodidad laboral. De hecho, una realidad dolorosa se hizo presente y nada estaba por cambiar.

UN HÍBRIDO

Saliendo de la juramentación, comenzaron las preguntas. Mis compañeros en la policía, mis familiares y amigos indagaban sobre mis planes futuros. Honestamente, no tenía idea de lo que quería o debía hacer. Cuando estudié, me dediqué en cuerpo y alma a tratar de aprobar la reválida de la primera. Conozco personas que catalogo como "genios" y tuvieron que tomar ese examen hasta tres y cuatro ocasiones. Por eso, no planifiqué lo que haría después de pasar. En esos momentos, hasta yo estaba sorprendido con mi gesta. Mientras tanto, tenía deudas que pagar, un hogar y una familia que atender. Por eso, independientemente de cuál fuera mi decisión para el futuro, en ese momento tenía que seguir siendo policía.

Recién juramentado, me di cuenta de que "no es lo mismo con guitarra que con violín". En primer lugar, es difícil renunciar a un trabajo en el que has estado toda tu vida. En segundo lugar, la gente tiende a percibir a los abogados como personas adineradas que ganan una fortuna. Pero eso siempre dependerá de múltiples circunstancias. Así que, no es realista esperar montar una oficina legal y hacerse rico en un mes. Para mí, como abogado sin experiencia, sería incluso difícil generar el mismo dinero que como policía. Por eso decidí esperar mientras me preparaba para ser notario.

En marzo de 2021, tomé la reválida de derecho notarial. El proceso es similar al de la primera reválida, aunque por el material que abarca fue menos problemática. Recibí el "PASS" en el mes de mayo, y para junio del mismo año había completado el ciclo. Ya mis tarjetas de presentación podrían ser repartidas, diciendo Abogado-Notario. Sin embargo, seguía trabajando como policía. A pesar de que me acerqué e hice los pasos requeridos para entrar a la Oficina de Asuntos Legales, no sucedió nada. No fue hasta septiembre de 2021 que recibí la llamada (gracias a un amigo licenciado que hizo un acercamiento "letal"). De repente todo se aceleró, me citaron para una reunión con la directora de la Oficina de Asuntos Legales el 16 de septiembre, y un par de días después recibí el traslado oficial. Notificado el traslado, comencé a empacar mis cosas y a despedirme de mis colegas. Aunque estaba emocionado por el nuevo desafío, también me sentía nostálgico por dejar atrás el lugar donde tanto había aprendido y crecido.

Les mencioné en el capítulo de la DOE que recordaran el sótano. Además, les recuerdo que tengo "la flor en el culo" (a veces). Pues deben saber que al convertirme en Asesor Legal para la Oficina de Asuntos Legales del Negociado de la Policía de Puerto Rico, me asignaron al Área de Aibonito. Sí, llegué de nuevo y ahora como abogado. De hecho, mi nueva oficina está ubicada en el sótano del cuartel de la policía de Coamo. Sí, el mismo sótano de la DOE. Desde ahí he desarrollado mis habilidades en el Derecho Administrativo y he iniciado mi carrera en la práctica legal. La experiencia me está creando camino y la realidad me abofetea diariamente.

A pocos meses de mi nueva designación en la Policía, el Departamento de Justicia publicó la apertura de plazas de "Fiscal Auxiliar". Al ver la convocatoria, sentí que llegó mi momento. Me emocioné al saber que podría aspirar al tal puesto. Solicité inmediatamente y "en lo que el diablo se arranca una pestaña" me entrevistaron. Durante la entrevista todo se vino abajo. Mientras me entrevistaban, me preguntaron sobre mi puesto en el Negociado de la Policía de Puerto Rico y mi salario. La interrogante se debía a que el salario del puesto para el que me entrevistaban era 600 dólares menos (mensuales). Para no faltar a la pulcritud del proceso, terminé la entrevista y me marché. Esa era la realidad, si quería aceptar esa oferta de trabajo, debía tener en cuenta que cobraría 600 pesos menos al mes.

UN POLICIADO

Hubo quienes me dijeron que tenía que "dar del ala para comer de la pechuga". Yo estaba dispuesto a sacrificarme para ser lo que quería, pero no a esos extremos. Económicamente, no era posible, esa cantidad de dinero era demasiado para mí. De hecho, someterme a esa degradación económica supondría no solo "dar el ala", estaría dando hasta "el pescuezo". Pasadas unas semanas, recibí la llamada:

-Buenos días, licenciado Rosario. Le habla la Sra. Buena Nueva, del Departamento de Justicia, ¿cómo se encuentra?

-Bien, gracias a Dios, respondí.

La Sra. Buena Nueva me felicitó por haber sido escogido al puesto y se tomó varios minutos para aclararme los pasos a seguir. Para que no hacerle perder su tiempo y al mismo tiempo acabar con mi sufrimiento, le agradecí la oportunidad y dije que no podía aceptar su oferta de trabajo. Fue doloroso, pero no tenía otra opción.

UN POLICIADO

Actualmente, solicito y aplico a toda convocatoria que me ofrezca mejores y nuevas oportunidades de desarrollo. Han sido muchas las solicitudes, entrevistas y decepciones. La realidad es que lo de "la flor en culo" solo me ha acompañado en la policía. Mientras tanto, continúo como un híbrido en el puesto que ocupo. Un empleado que trabaja, actúa y obtiene experiencia como abogado, pero en la certificación laboral sigue siendo policía.

-¿Un **POLICIADO**?

¡Ah, no lo entiende!, pues dejémoslo así, porque yo tampoco. Lo que está claro es que visto, luzco y me desempeño como abogado, pero por mis venas sigue corriendo la "sangre azul". Por eso, estoy seguro de que mi inusual y cambiante historia no termina aquí.

Continuará...

CITAS

"Muchachito, no te da vergüenza estar metío en esa curva todos los días. Tan decente que es tu papá."
Doña Vigui, Barriada San Luis (2000)

"Tú eres demasiado loco, si sigues así te van a botar"
Pitcher, Policía Municipal de Aibonito (2003)

"Este se fue de la municipal los otros días y ya está aquí. ¡Coñoooo! Así es policía cualquiera."
Agente del Distrito de Aibonito (2004)

"¿Tu estas seguro que quieres estar en la DOE?, eso ahí es una jauría."
Supervisor del Área de Aibonito (2005)

"Vas a tener que meter cojones aquí si quieres que los muchachos te acepten. Aquí hay un reguero de HP y todos piensan que tú eres un escorpión."
El Teniente, División Operaciones Especiales (2005)

149

UN POLICIADO

"¿Usted lo vio caminando? ¿Está seguro de que
era él? No tengo más preguntas."
Abogado de Chifle (2007)

"Me le voy a quedar hasta con los calzoncillos."
Amiga de Sacaculum (2009)

"Si trabajó en Operaciones Especiales, se graduó
de la escuela de violación a derechos civiles de la
Policía de Puerto Rico"
Profesora Escuela de Derecho (2017)

"Es que tu engañas, parecías un delincuente y
eras policía. Ahora pareces policía y eres
abogado."
Lcda. Golda (2021)

"¿Que tú eres el abogado? ¿Tiene identificación?
Recepcionista Registro Demográfico (2022)

"Tú puedes ser abogado, pero lo de policía se te
quedó en la sangre."
Moto Moto (2023)

"Tienen razón, yo tengo la sangre azul"
Yo (2024)

Made in the USA
Middletown, DE
14 October 2024